▲ 望山（1985 年）

▲ 生命都有尊严·与爱猫睛睛在一起（1993 年）

▼ 在人群中感到孤独（2010 年·台北）

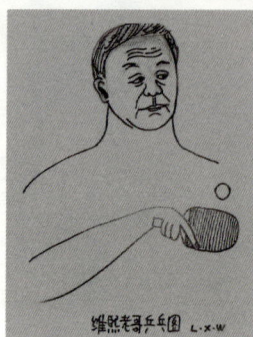

▲ 刘心武为宗璞、从维熙、李黎 画像

# 刘心武文存25

[1958－2010]

散文随笔 第三卷

## 富心有术

刘心武◎著

江苏人民出版社

图书在版编目(CIP)数据

富心有术 / 刘心武著. —南京：江苏人民出版社，
2012.11
（刘心武文存；25. 散文随笔；3）
ISBN 978-7-214-08426-2

Ⅰ.①富 … Ⅱ.①刘… Ⅲ.①随笔-作品集-中国-
当代 Ⅳ.①I267.1

中国版本图书馆CIP数据核字(2012)第143518号

| | |
|---|---|
| 书　　　名 | 富心有术 |
| 著　　　者 | 刘心武 |
| 责 任 编 辑 | 刘　焱 |
| 统 筹 编 辑 | 李　丹 |
| 特 约 编 辑 | 朱　鸿 |
| 文 字 校 对 | 陈晓丹　郭慧红 |
| 装 帧 设 计 | 门乃婷工作室 |
| 出 版 发 行 | 凤凰出版传媒股份有限公司 |
| | 江苏人民出版社 |
| 出版社地址 | 南京湖南路1号A楼　邮编：210009 |
| 出版社网址 | http://www.book-wind.com |
| 经　　　销 | 凤凰出版传媒股份有限公司 |
| 印　　　刷 | 三河市金元印装有限公司 |
| 开　　　本 | 700毫米×1000毫米　1/16 |
| 印　　　张 | 16.75 |
| 字　　　数 | 384千字 |
| 彩　　　彩 | 4 |
| 版　　　次 | 2012年11月第1版　2012年11月第1次印刷 |
| 标 准 书 号 | ISBN 978-7-214-08426-2 |
| 定　　　价 | 42.00元 |

（江苏人民出版社图书凡印装错误可向本社调换）

# 《刘心武文存》出版说明

　　《刘心武文存》收录刘心武自 1958 年 16 岁至 2010 年 68 岁公开发表的文字约 900 万字。《文存》共 40 卷，按文章门类收录，计有长篇小说 5 卷、中篇小说 4 卷、短篇小说 5 卷、小小说 1 卷、儿童文学 1 卷、建筑评论 2 卷、《红楼梦》研究 4 卷、散文随笔 11 卷、杂文 1 卷、海外游记 1 卷、多品种（图文交融文本、报告文学、诗歌、剧本、足球评论、译述）1 卷、创作谈 1 卷、理论批评 1 卷、早期（1958 年至 1976 年）作品 1 卷、自述 1 卷。因跨越时间达半个世纪以上，收录定有遗漏，但其此期间的主要作品，相信均已收入。

　　《刘心武文存》各卷均附有《刘心武文学活动大事记》及《刘心武著作书目》，可备检索。

　　编辑出版《刘心武文存》的目的，意在供各方面人士阅读欣赏、分析研究、批评批判、收藏保存。

刘心武文存

**25**

——

# 目录

# 心里难过

深夜里电话铃响。是朋友的电话。他说："忍不住要给你打个电话。我忽然心里难过。非常非常难过。就是这样，没别的。"说完他挂断了电话。我从困倦中清醒过来。忽然非常感动。我也曾有这样的情况。静夜里，忽然有一种异样的情绪涌上心头，那情绪确可称之为"难过"。

并非因为有什么亲友故去。

也不是自己遭到什么特别的不幸。

恰恰相反：也许刚好经历过一两桩好事快事。

却会无端地心里难过。

不是愤世嫉俗。不是愧悔羞赧。不是耿耿于怀。不是悲悲戚戚。是一种平静的难过。但那难过深入骨髓。静静地意识到，自己的生命实体是独一无二的。不但不可能为最亲近最善意的他人所彻底了解，就是自己，又何尝真能把握那最隐秘的底蕴与玄机？

并且冷冷地意识到，自己对他人无论如何努力地去认知，到底也还是只近乎一个白痴。对由无数个他人组合而成的群体呢？简直不敢深想。

归纳，抽象，联想，推测，勉可应付白日的认知。但在静寂清凄的夜间，会忽然感到深深的落寞。于是心里难过。也曾想推醒妻，告诉她："我心里忽然难过。"也曾想打一个电话给朋友，只是告诉他一声，如此如此。但终于都没有那样做，只是自己徒然地咀嚼那份与痛苦并不同味的难过。

朋友却给我打来了电话。

我自信全然没有误解。

并不需要絮絮的倾诉。简短的宣布，也许便能缓解心里的那份难过。或许并不是为了缓解，倒是为了使之更加神圣，更加甜蜜，也更加崇高。

在这个无庸讳言是走向莫测的人生前景中，人们来得及惊奇来得及困惑来得及恼怒来得及愤慨来得及焦虑来得及痛苦或者来得及欢呼来得及沉着来得及欣悦来得及狂喜来得及满足来得及麻木，却很可能来不及在清夜里扪心沉思，来不及平平静静冷冷寂寂地忽然感到难过。

白日里，人们杂处时，调侃和幽默是生活的润滑剂。

静夜里，独自面对心灵，自嘲和自慰是魂魄的清洗液。

但是在白日那最热闹的场景里，会忽然感到刺心的孤独。

同样，在黑夜那最安适的时刻里，会忽然有一种浸入肺腑的难过。

会忽然感觉到，世界很大，却又太小；社会太复杂，却又极粗陋；生活本艰辛，何以又荒诞？人生特漫长，这日子怎的又短促？

会忽然意识到，白日里孜孜以求的，在那堂皇的面纱后面，其实只是一张鬼脸；所得的其实恰可称之为失；许多的笑纹其实是钓饵，大量的话语是杂草。

明明是那样的，却弄成不是那样了。无能为力。

刚理出个头绪，却忽然又乱成一团乱麻。无可奈何。

忘记了应当记住的，却记住了可以忘记的。

拒绝了本应接受的，却接受了本应拒绝的。

不可能改进。不必改进。没有人要你改进。即使不是人人，也总有许许多多的人如此这般一天天地过下去。

心里难过。

但，年年难过年年过。日子是没有感情的，它不接受感情，当然也就不为感情所动。需要感情的是人。人的情感首先应当赋予自己。唯有自身的情感丰富厚实了，方可分享与他人。

常在白日里开怀大笑吗？

那种无端的大笑。

偶在静夜里心里难过吗？

那种无端的难过。

或者有一点儿"端"，但那大笑或难过的程度，都忽然达于那"端"外。

是一种活法。

把快乐渡给别人，算一种洒脱。

把难过宣示别人，则近乎冒险。

快乐可以共享。

难过怎能同当？

但有时候就忍不住，想跟最亲近的人说一声：我心里头忽然难过，非常难过。在那个时候，人生的滋味最浓酽。也许进入悟境，那难过便是一道门槛吧！

1993 年 1 月 15 日深夜

# 旋转舞台

那是一个大雪纷飞的夜晚，来自穷乡僻壤的少年敲开了远房伯伯家的屋门。

他怀里揣的不是一个梦，而是一份详尽的设计图。他设计了一个旋转舞台。顾不得喝伯母倒来的热茶，他向伯伯兴奋地讲解自己的设计方案。舞台演出将变得无比神奇，更换布景将变得轻而易举——各幕的布景早已搭全，换幕时只需将舞台加以旋转……

他初中尚未毕业。他从未离开过那距京城相当遥远的家乡。那时候，电视还没有普及到他家住的那个小镇，他在来京城前只去过县城三四次，一共在县城那小小的剧场看过三回演出，但他常看电影，当放映队来到镇上时，他还给放映员打过下手。他特别注意过电影里的舞台演出场景……他有了一个灵感，一个新奇的想法，终于埋头设计出了一个旋转舞台，他要亲自把这项发明创造送到首都，献给祖国……

然而伯伯告诉他，几乎在本世纪初，世界上就有了机械传动的旋转舞台。北京首都剧场五十年代一建成也就有电动的旋转舞台。他设想的那种换景方法早已不是纸上的方案而是剧场的家常便饭了。比如北京人民艺术剧院演出《关汉卿》那出戏，最后一幕"长亭送别"，舞台便当着观众的面旋转，以展现主人公与友人在卢沟桥依依惜别的动人场面……

就在那个大雪纷飞的夜晚，他的发明梦破碎了。远房的伯伯只留他住了三天。三天里他铭心刻骨地懂得了：世界远比他想象的宏大，社会远比他想象的复杂，生活远比他想象的严酷，成功远比他想象的艰难，人心远比他想象的微妙，而且最要命的是——自己远比原来所想象的渺小……

在拥挤的硬席车厢里，他没有找到座位。随着火车车轮撞击铁轨衔接处的声响，他含泪地对自己说：原来，这个世界上的座位，已在没有通知他的情况下统统被别人坐满……他把旋转舞台的设计图撕成碎片，扔出了车窗外。

那是三十年前的事。但只要有少年，有年轻的心，这类的事便总会出现，也许不像他那样孟浪，也许仅仅是意念的翻滚而没有变成行动，当然，更不会只是向往于设计出一个旋转舞台……然而，惊讶而痛心地发现自己想找的座位已被别人先占，甚至面临的是自己匆匆赶去而面临"客满"，那种失落，那种懊丧，那种悲怨……今天会有，以后也会有，年轻的心啊，你常常会陷于这种窘境！

那个在大雪纷飞中接受命运捉弄的少年，回到穷乡僻壤以后情况如何？他没有沉沦，但他从好高骛远的狂妄、臆想、焦躁、匆促的心境中落到了平实处。他咬着牙在心里发誓：我一定要有所发明创造，但我一定先要拼命地学习——学习最基本的东西，要尽一切可能了解世界上已经存在着的、前人已经创造出的文明……他克服了许许多多的有时是巨大而坚硬的困难，终于在十几年前再一次走出了穷乡僻壤，进入了省城的大学。当他以优异的成绩相继取得学士和硕士学位后，他冷静地意识到，就发明创造而言，在他所跻身的那一世界，纵眼望去仍是"客满"景象，你必须扎扎实实地埋头苦干，一分一厘地艰苦推进，才能开辟出新的座席，为人类文明开出新的花朵，结出新的果实！

又是一个大雪纷飞的夜晚，他踏着在路灯下发着荧光的积雪去拜访那位已经年迈的远房伯伯。他要告诉伯伯，他的三项发明同时获得了专利证书；他要感谢伯伯当年对他兜头泼下的冷水——从那一天起，他结束了烂漫的臆想，穿过了有时确实是严酷得令人发抖的生活走廊，而终于进入了能够冷静地估量世界、他人和自己的人生阶段。

然而，在纷飞的雪花中，任那冰冷的雪花飘落到他火热的面颊，他也并不后悔那以一颗昂奋的少年心的全部憧憬和才智所画出的旋转舞台设计图。少年幻梦的破灭诚然令人心酸，但没有幻梦没有破灭没有酸楚的人生才是最可怕的。人，应当从破灭中寻求坚实的阶梯，使经受酸楚的心灵变得沉静稳重，从而真正寻找到自己在生活中应有的位置。即使面临"客满"，也能通过合理竞争而消掉不合适的占位者从而获得位置，或者更展拓出新的社会空间，为自己和他人设置出新的座位。

是的，千真万确——这个世界早已是一座旋转舞台，它或许非常喜欢我们最纯真的向往和最烂漫的设计，但它却只为那些踏踏实实地从吮吸人类已有文明精华起步、兢兢业业地为人类新的文明添砖加瓦的人设置座席。

1992 年 2 月

# 学会吃冷面

看到这个题目,有的青年朋友可能会发笑,冷面,有的地方又叫凉面,煮熟过冷水,晾凉再用油拌过,加上作料,再拌上一点黄瓜丝,不要说盛暑时是一种价廉物美的快餐食品,就是别的季节,吃起来也很方便顺口啊,难道还要专门去学着吃它吗?

可是我这里所说的冷面,却并非上述的食品,而是指社会人际交往中时常会遇到的冷面孔。

前些天,一位青年朋友来同我聊天,他刚离开校门进入社会,真挚地向我倾吐心曲说:"别的都没什么,最让我寒心的是周围一些人的冷面孔……回想童年时代、学生时代,那时候社会上肯定已经有许多冷面孔,可是除了家长、教师偶尔的冷面以外,我似乎并不面临那样一种窘境——必须把那冷面咽下去,为了工作,为了生存……那时我总沉浸在相好的伙伴、同窗的笑容之中,嬉笑无忌,绝对不需要看谁的眼色行事……不错,有时候去商店买东西什么的,会遇上服务态度不好的售货员什么的,可那样的冷面我可以不吃,扭头就走……"见我要开口同他对话,他急着摆摆手,语气更加急促地说:"……您先听我说完,我希望您能准确体会到我的心情!我参加工作以后,突然才意识到,社会原来是这样的!仿佛有许多盏原来没有燃亮的灯,一下子亮了,照出了许许多多我原来没有看见没看清楚的东西,当然有美的东西,可也有不少让我吃惊、发怵的东西……别忙打断我,您听我说,我这里要同您讨论的,不是那些明明白白是丑的东西,甚至不是庸俗无聊的东西,而是人与人之间的一种冷,您明白吗?同事之间、上下级之间、因工作关系所不得不交往的人之间……不一定是人家不对、不好，可他就给你一张冷面，冷冰冰，干巴巴，或者礼数周到而凉气飕飕，除了公事公办没有一点温情，一点暖意……天哪，您明白了吗？我指的是这个难道在人生的途程中，每个人都得咽下许许多多的冷面吗？！"

我嗽了嗽嗓子，正想试着作答，他却又截住我说："别用那样的道理打发我——应该多看到人与人之间相亲相爱温暖光明的一面，应该怀着一个'让世界充满爱'的理想，只问耕耘，不问收获；就是说只考虑如何给别人一颗爱心、一个热面、一捧真诚的笑容，而丝毫不要计较别人是否也这样回报……"我禁不住笑了："该说的话全让你抢着说了，我倒一时没话可说了！"

他叹口气，继续倾诉说："您刚踏入社会的时候，难道没产生过我这样的失落感吗？当然有，我也懂，您年轻那阵儿，整个社会的环境气氛跟现在很不一样，也许您年轻那阵儿人们的理想主义色彩和社会道德感以及平均心底单纯度都比现在高，所以您不曾有过我这样的内心苦闷……不过，您也许会说，您年轻那阵儿，个人在社会网络中很难移动，可我们今天的年轻人，挑选职业，跳槽，乃至连户口档案都敢一扔，往海南岛大西北什么的一跑，活泛多了，要是感觉周围的冷面太多，不吃，拍屁股一走人不结了？可我现在知道，不那么简单，我自己就跳过两回槽了，敢情到处都有冷面等着你去吃，有个出国留学的伙伴，写信回来，我一看，好介，外国的冷面也不少，甚至更多，而且洋冷面更难下咽！……看起来，冷面是躲不开的，只有学会吃冷面才能适应社会，适应人类！……"那天的青年朋友向我倾诉一番以后，也就走了。他走后我沉思了很久，最后想出了下面六条吞吃冷面的心理法则，现逐条开列于下：

(1) 这个世界不是单为我一个人而存在的，没有道理要求这个世界处处为我显现出周到与温馨。

(2) 就真正饱满而透彻的爱而言，即温情与暖意构成的热面，人生一世，异性间有一例，同性间至多不逾三例，足矣！一个爱人和两三个朋友的热面，陪伴一生即为幸福。

(3) 人与人在社会网络中能各遵共同的"游戏规则"，以礼相待，平等互利，即属正常。凡不伤害你的人都可视为友善者，即使冷面，亦应食之甘如蜂蜜。

(4) 当想到，你的面孔在一些你心目中并不看重并不喜爱并不引出"公事公办"外的乐趣与联想的他人眼中，亦很可能是一大盘冷面。彼此彼此。

(5) 自然的冷面远比虚伪的热面可敬。遭逢藏有侵略性而伪装得格外巧妙的热面，那是人生最大的不幸。

(6) 他人有他人的生活，有他独具的性格、人生途程、家庭、亲属、小社会网络……有他的隐私、隐秘，喜怒哀乐，一句话，他人乃一独立于我之外的个体，没有义务向我展现笑脸，却全然有除与我共同服务于社会之外而显现冷面的权利。我们周围的冷面乃一种自然而得宜的客观存在。

我很想把以上六条"吃冷面法"抄寄给那位向我倾吐心曲的青年朋友。读者诸君，您说值得吗？

1992 年 4 月

# 给自己作减法

你为什么闷闷不乐。

你说，因为你觉得该做的事情实在太多，而时间真如流水，不停歇地在汩汩逝去，你焦虑，你烦躁，而最令人气闷的是，你越加快速度、紧缩节奏地做事，你越不见成效，越不讨好……你摊开双手问：该怎么办呢？

我劝你把所想到的该干的事，都开列成一份清单……

你截断我的话说：还用你建议！早这么办了！不仅几乎每周都开列出一周内要做的事的清单，而且，这清单还总在向下延长……

我告诉你，你的问题就出在这里！清单自然要开，越详尽的越好。的确，你应该把心里所构想出的一切，都开列上去——但开列好了以后，头一件该做的事是什么？不不不，不要打断我……你以为头一件事是按事情的轻重缓急给所有的事情编上顺序，你想错了，先不忙编那个顺序——告诉你吧，头一件事是作减法，对，你要学会给自己作减法！

不要给自己堆砌太多的任务。

不要给自己出太多的难题。

尤其是，不要给自己立过多过高的标竿。

比如，首先可以从清单上减下若干纯属是"做给别人看"而实际上于人于己于公于私都没有多少实际意义的甚至只是满足自我虚荣心的事情，像"去为羽绒服的帽子加上毛皮镶边"，你就该从清单上划去。因为你既然时间有限，而心中又一直并不认为加毛皮镶边的羽绒帽好看，只不过是单位里大多数你那个年龄的人都那么做了，于是你急匆匆地也要做，并且还打算穿过全城到那家据说最擅此道的商店去排队完成此项任务，真是何苦！

再比如，你爱好文学，喜欢工余读一些中外文学名著，这自然很好，但是，你给自己开列了这样的计划："购买整套普鲁斯特的《追忆逝水年华》全译本，并从这个月起，每月一本至一本半，半年内一定要读完！"你又不是专门研究西方"意识流"文学流派的专业人员，实在爱好，购一整套《追忆逝水年华》当然不足怪，但你硬要自己每月一本至一本半地去读它，完不成此任务便心理上自责自怨自卑自艾，究竟有什么必要呢？为什么这样给自己出难题呢？为什么不可以建立起一种宽松、洒脱的心理，就让那早已逝去的法国作家普鲁斯特一边了不起去吧，在你有限的年华里，你其实根本不用通读他那译成中文的几巨册小说，你读读文学刊物上有关他的介绍文字和作品选段等满对得起他，满对得起你自己了，至少，你可以把通读他那几巨册"意识流"的快乐，留给你今后真有闲暇的岁月，即到你退休后再读，也绝对不迟！

"一个月内至少要写出五篇两千字左右的散文，并且起码要让四篇见刊见报，其中必保一篇见于全国一级的大刊大报"，你这项计划就更该大大地作一下减法了！你并非专业作家，周一至周六天天要去单位坐班，回到家里家务事也不少，就算一个月里遇上五个星期天（一般只有四个星期天），难道你星期天就不干别的，专门都用来写散文？就算你酷爱写散文，就算你为自己规定这样的篇数、字数有一定的道理并确能保证完成，你又怎能在发表上为自己竖起那样的标竿？越是捏着鼻子按篇数、字数计划写的散文，恐怕就越难。自然，也便越难发表。况且，纵然是自然天成、精妙幽微的佳作，在诸多因素的制约下，也难说就都能顺利地发表出来。所以，你如不给自己的这项计划作减法，岂不是脚踝上拴着秤砣跑步般地难受吗？一旦事与愿违，你不伤心透顶才怪！

对于那些什么事都想推脱不做更无做事计划的懒人，我当然要劝他们作加法，然而，你不同，你属于在青春勃发期精力充沛、雄心勃勃、踌躇满志、岂甘人后的那一类型。你想做许许多多的事，你的计划总是一项没完又平添几项。对于你这一类型的青年朋友，我就要劝你们学会作减法了——我也有过青春勃发期，我深知，有时候作减法比作加法更难，需要更明智的思考、更坚韧的毅力与更巨大的勇气。

给自己作减法，减至恰到好处，你会感到生活充实而不沉重，昂扬而不飘浮，紧张而不烦躁，憧憬而不焦虑，你能"种瓜得瓜"，也能"种豆得豆"，你会身心俱健，更能自得其乐。

给自己作加法固然是一种人生抉择，需要充沛的进取心与想象力；给自己作减法更是一种人生抉择，需要对世界、人生和自我的清醒认识与务实把握，前者是青年人不可或缺的生命跃动，后者则是青年人尤为宝贵的迈向成熟。

再不要闷闷不乐，因为你既会给自己作加法，更能给自己作减法了！

1992 年 5 月

# 猴年猫历

挂历是一种市民文化。挂历的印制周期很长，差不多每年的春天，出版挂历的机构就请人着手设计下一年的挂历了，而一入仲秋，便有下年度的挂历上市，到年底以前，会有一个销购挂历的高潮。倘过了元旦，某种挂历仍积有颇多，便说明该品种的设计是失败了——所以，从不同品类挂历的销售状况，是可以大略窥见一般市民的群体心理趋向的。而当出版机构和设计人员运筹构思下一年度的挂历时，不管他们是否有足够的自觉程度，实际上都是在对一般市民的群体心理流向作出预测。

近些年来，人们似乎特别喜欢按生肖来称呼年份，生肖特种邮票从猴票开始，到羊票已出完一轮，这期间每年的挂历，时常有与生肖相呼应的品种，鼠、蛇、猪较难处理，但我也见过鼠年的"老鼠娶亲"（民间版画）挂历、蛇年的"白蛇传故事"挂历和猪年的"猪八戒背媳妇"挂历；近两年恰逢马年和羊年，那应景的挂历似乎销得特别畅，比如马年的郎士宁《百骏图》和徐悲鸿画马的挂历，羊年的"三羊开泰"挂历，我能在许多亲朋好友的居处及若干偶然涉足的场所一再地看到。

1992 年是猴年。猴无论形象还是情趣，都不仅远在鼠、蛇、猪之上，也超过了牛、羊、鸡，按说以猴为主题的挂历，无论是以摄影或绘画表现真猴，还是以《西游记》的孙悟空为象征，都应出现若干种才是，但 1991 年 12 月里我在五个挂历展销场所里浏览了不下百种 1992 年的挂历，竟未能发现一例。猴年无猴历，颇令人惊异。

没有猴历，却发现有猫历，且不下十来种，已足可与近些年挂历中的两大"永恒主题"——时装靓女与世界风光鼎足而三。生肖中有鼠无猫，现在人们对猫历倍加青睐，说明那心态已超出按生肖应景求福，而显现出一种更深层的群体企盼。

猴与猫哪个更可爱？如搞一次"盖洛普民意测验"，我估计那统计数字大概会很接近。许多人甚或会表示两者皆喜欢。它们实在有许多的共同点，如憨娇之态可掬、善解人意、活泼灵动、眠姿有趣，等等。但人们在猴年选择挂历，为什么猫历的销售势头大为看好？为什么猫历竟将原该应景上市的猴历排挤殆尽？

这就不能不将猴猫两者细加比较。固然猴猫两者都淘气，都好动，但猴子显然更趋向于构成一个不安定的符号。南方不知有些什么说法，北方如北京土话中，就有"猴闹"、"猴淘"、"猴奸"等等形容青少年乃至成年人不踏实不诚恳的语汇，还有"猴三儿"、"猴七儿"、"猴头狗"等等对上述角色的贬称，又把没有根基定会惹祸的行动称作"猴顶楼"；此外，不分南北都知道"沐猴而冠"是句刻薄话，而"猴年马月"更成为"不知要到何时"的同义语。总之，往这个方面联想下去，猴这个符号实在不怎么样，搞一批猴儿像当挂历，也就无甚意趣。猫当然也有跳跃扑窜嬉闹的一面，但时下所出的猫挂历，则大都专拣其静卧和安坐的镜头，配之以雅致的背景与摆设，营造出一派宁静、温馨的氛围，实际上是用猫咪构成了一个安定祥和的符号，从中透露出了一种市民群体对社会稳定、家庭和睦、自我安康的潜在渴求。

不过，无论是挂历的出版者、设计者，还是挂历的选购者、悬挂者，对新的一年的估量与渴望都不可能那么准确，那么遂意。猫历上的猫咪们将默默地注视着我们……

1991 年 12 月 8 日绿叶居

# 温 馨

团结、稳定、鼓劲这样的字样在报纸上多起来了，而温馨、和谐、幸福这三个字眼随着发行量巨大的贺年（有奖）明信片，更在猴年岁首飞进了千家万户。

何谓温馨？《现代汉语词典》里竟不收此词，大概是觉得人们一望而知此词语的含意是温暖加馨香，《辞海》里则引了晚唐皮日休的诗句："镂羽雕毛回出群，温馨飘出麝脐熏。"可知原是形容一类鸟儿那娇憨华贵的身姿气息的。但在当代中国人心目之中，温馨却似乎集中体现为一种小康的生活情调与人际间的最适度的亲近与融洽。

我的一位年轻朋友是公车司机。他妻子是位纺纱工，女儿刚上小学。春节前后，他收到好几张贺年（有奖）明信片，我问他对明信片上那三个祝福词的感想，他说："幸福对我来说就是安全行驶，吃穿不愁，家人平安，而且小日子一天比一天火红；和谐嘛，就是夫妻少吵架，吵了架嘛，也隔夜不记仇……温馨嘛——"他挠着后脑勺，笑了："说不出来，可心里头明白，那也不能缺……"

当然不能缺！一日我去他家，小小的住房，"麻雀虽小，五脏俱全"。组合柜的多宝格上有若干虽不名贵却趣味盎然的小摆设，女儿的小床上倚着个头不比他女儿小的玩具大狗熊，屋顶上吊下成螺旋形排列的小玻璃风铃，夫妻俩正坐在沙发上，聆听女儿用电子琴弹奏"四小天鹅舞"的芭蕾舞曲……我不由得赞叹道："好温馨啊！"在"以阶级斗争为纲"的日子里，一场政治运动接着一场政治运动，从单位里一直斗进家庭，结果是"与人斗，其乐无，穷！"当然不仅不能追求温馨，就是这个字眼，也从一切公开的印刷品里消失了。一个健全的公民，当然应当葆有正确的政治热情，为了使党的十一届三中全会所确立的建设有中国特色的社会主义的政治方向得以贯彻，关心政治与适度参与政治都是必要的，但关键还是在于各人在自己的建设性而非破坏性的位置上做好自己该做的事，摒弃一切形式主义的东西，并安排好自己的生活，使温馨的祥和气氛，自家庭始，而弥充于我们的全社会，使我们整个中华民族，能实现在下个世纪达到小康状态的望得见、够得着的美好目标。

当我书写这篇小文时，我那司机朋友正实实在在地延长着他那安全行驶的纪录，他的妻子正默默地在车间里辛勤操作，他们的女儿则在教室里吮吸着建设性而非破坏性的知识乳汁……念及这最有权利享受温馨生活的普通一家，不由警戒自己：万勿以为写几篇文章就可以解决什么问题，要谋全民族的温馨、和谐、幸福，最要紧的是扎扎实实地投入到建设的洪流中去！

1992 年 2 月 15 日

# 勤+缘

勤与缘之间的"+"不是数字，而是加号。什么叫勤＋缘呢？

且说近年来香港出了个专写"财经小说"的通俗小说家梁凤仪。她的"财经小说"原由香港明报集团的明窗出版社出版。明窗出了八本后，其中如《千堆雪》等非常畅销，于是，梁女士便决定自办出版社，自写，自印，自销，于是，她自《醉红尘》一书起，便打出了勤＋缘出版社的名义，连续推出自己的"财经小说"和"财经散文"两个系列，并开创了在香港的许多百货公司中辟售书专柜的先例，以"黄金屋图书公司"名义售书，结果出乎一般人的意料，竟非常之畅销，她那《醉红尘》八个月内再版了十二次，仍然供不应求，而她又飞快地写出了更多的"财经小说"，计一年之内写出了十八本，平均每个月出产一本半，其中如《花魁劫》、《花帜》、《今晨无泪》等都受到了热烈的欢迎。

香港、台湾的通俗文学，近二十年来浪潮迭起，给我们大陆读者留下印象乃至仍然如潮水般涌荡的，先有金庸、梁羽生、温瑞安、古龙等人的武侠小说，接着又有三毛的奇情散文（她的神秘自杀使得已趋淡化的"三毛热"又重新抖擞了一番），然后，便是声势最为壮大的琼瑶言情小说潮，因为更有电影和电视剧的推波助澜，所以影响面最宽也最为持久。当然，论言情香港的岑凯伦、亦舒等人的快速创作的小说也很得大陆青少年又特别是少女们的青睐。在以上的港、台通俗小说潮尚未退缩之时，目前，又有梁凤仪的"财经小说"滚滚而来，听说我们这边的人民文学出版社已决定出版她的几部代表作，估计一上市也便会有众多的读者购而阅之。

　　我本人的创作，大体上是在所谓的"严肃文学"范畴里的，但我对通俗文学素无偏见，我一贯以为世界既如此丰富多彩，人类既如此各有所乐所好，则文学自该有不同门类、不同品种、不同风格不同的读者群，通俗文学的作家所写的书往往畅销，知名度在一般民众中也较高，收入之丰厚更令我们弄严肃文学的望尘莫及。我以为都属正常的社会现象，故而经常提醒自己要不妒不鄙。正所谓人各一径，通俗文学看似信笔可成，其实如我者真试着去弄，便感到亦殊非易事，当然弄惯了通俗文学的，要他如我辈般"严肃"起来，写得沉甸甸的，他亦往往真感吃力。

　　梁凤仪的"财经小说"我读了几本，感到获益匪浅。梁女士因为自己既有高学历（哲学博士），又早在香港和加拿大亲身经历过财经行上的磨练，目前仍在香港永固纸业集团任董事，所以对于财团商界如何炒股票、炒地皮、搞信贷、兴实业、办外贸、抢生意，用北京话说，叫"门儿清"。她写的财经故事，既能让读者懂得此中的"游戏规则"，大开眼界，大长见识，又无情地揭露了财团商界的重重黑幕，鞭挞了巧取豪夺与穷奢极欲，在淋漓尽致地表现金钱对人性的腐蚀同时，她也诚挚热烈地呼唤着理性良知与人性的温善，当然她也塑造了一些财经界的强人形象，表现他们在艰苦奋斗的过程中如何纵横捭阖，力闯难关，在大体遵守"游戏规则"的前提下终获成功。

　　梁凤仪"财经小说"系列的迅猛推出和大受欢迎，当然同香港社会"九七在即"，许多市民热衷于抓紧时机发一笔财有关，人们希图从梁女士的小说中长些财经方面的见识，从强人的形象中获些启示，同时也从小说的揭露批判上获得些快感，以补偿自己财经上不顺利以及失败时的心理失落。梁女士的小说在大陆出版后，相信由于诸如深圳、上海等地开办了证券交易所一类因素的影响，也极可能流传开来。

　　当然，一切都很难断然判定。女士自己也这样看。她把自己的出版社取名为勤＋缘，就是因为相信一桩事的成功固然首先需要主观上的执著努力（勤），但也要依靠客观的机遇（缘），勤奋是人算，机缘是天算，人算可以自己把握，天算就难说了。

　　梁女士的勤＋缘这个名字，确实挺有意思。愿我们大家都既能勤奋自强，也能得天缘相助！

1992 年 5 月 31 日

# 不 玩

深圳、上海有了股票交易后，不断有传言流到北方，例如我就听到一些炒股票的故事，什么某种股票上市时才 20 元一股，如今已升值到 400 元啦；什么某作家用 1000 元去炒股，如今七抛八进的，已滚成数万元啦，等等。总之都是大赚大发的消息，没有大赔大亏的消息，更没有破产了要跳摩天楼和黄浦江的消息。因此，北京的一些朋友也就半玩笑半认真地说："还写什么小说啊！炒股票去吧！"

对于股票这个玩意儿，我至今仍处于蒙昧状态。据说如今若干出版社已印行了多种关于股票的指南性书籍，全都一上市便被抢购一空，销路比武侠小说和言情小说还好。我也想买一本来看看，不过直到写这篇短文，也还仅是想买想看而已，尚缺乏付诸行动的充分推动力。

同一位长我二十来岁的文兄议及此事，他说：深圳、上海的开放股市，以宏观眼光看待，自然是为了活跃经济，推动生产的发展，我们即使不甚了然，总也该持一种支持此项试验的态度，谁不愿自己的国家早些富起来呢？这大约也是办法之一，且办着看。一些文坛上的朋友对炒股票顿生"创作热情"，或"弃文就股"，或"文股兼顾"，能大发也好，能小赚也好，亦称快事，我们当为他们高兴。但据文兄说，炒股票这种事，当他青少年时，已经有之，据他极为粗糙的认识，那是一桩风险很大、赚赔机会几乎均等的游戏，似不可能凡炒者均赚，成一皆大欢喜之局面。所以，即使在他少年时那个社会环境中，并不存在玩股票"姓什么"的争论和压力，而他家亦称小康，也并非完全没有能力入局，起码可以小玩，但他的祖父一辈、父亲一辈，乃至他的亲戚朋友中，竟都没有人玩股票。所以他得出结论说，社会或许需要股票，但我们可以不玩。

玩股票，从个人的角度，自然是为了发财，并企盼发横财，例如买进时 20 元，抛出时增值至 400 元，倘手头有 100 股，则净赚 38000 元，如玩得大，自然还可赚得更多。这么想下去，卖字儿，即写文章挣稿费，呕心沥血写一部长篇，费时三年不算慢，以三十万字计，千字三十元的最高稿酬，扣去所得税，也才不过 8360 元，平均一年挣不到 2800 元，一月平均才挣到 234 元不足，而这还是满打满算，实际从写稿到出书，最快也还需要一年，再加上很可能还要退回修改，很可能还因为这样那样的原因不被接受，或因为征订数不够而不能开印，甚或因为出版社估计肯定赔钱而动员你放弃稿酬，或竟至于要你自己出钱印书或请你自己包销或代销几千册……那就真不禁要一跺脚喊出声来：去他妈的写小说！谁再写谁是孙子！

但毕竟这世界需要各种各样的人，亦需要各种各样的东西，例如不管哪个民族、哪个国家、哪个时代、哪种制度，就也总需要一种叫作家的人，需要他们写出的文字，其中也包括小说及其他的文学作品，例如诗歌、散文、杂文、随笔，等等，倘若你阴错阳差地成了这么一种人，那么，你当然可以弄一段以后跳槽干别的，但也可以就那么一直弄到底，而你既钟情于或至少是被迫固守于文学这一行当，也就可以如我那位文兄那样，认定玩股票虽然是一桩别人自有道理的事，但自己则放弃不玩，而埋头仍写自己的作品。

文兄还说，我们与其因稿费低而去玩股票，不如大家联合起来呼吁争取再适当地提高稿费。不知读者诸君对我文兄的想法是摇头还是点头？

1992 年 6 月 7 日

# 无 闻

未必默默，然而无闻。

你系好领带，穿上西装外套，拎上资料包，去往那个有中外许多学者汇聚的研讨会，你将有一个能令同行即使不是刮目相看总也会耳根一震的学术报告……

你走进地铁站台，没有任何一个人注意到你；然而当列车驶来时，甫刹车，门乍开，一个女士从当中一节车厢飘然而出，马上有人惊呼出她的名字，并且有那显然并不该在那一站下车的小青年追了出来，又有本该上车的人忘了上车而盯住她看，乃至移步凑拢她的跟前……

你及时地上了车，车开动了，你一只手握住吊环，微笑着。

是的，你感到我们的社会生活越来越复杂多样，也越来越活泼有趣了。

刚才一些人注目追踪的女士，是一位常在电视上露面的歌星。她的名气真是如日中天，红艳似火。

歌星红了，主要还不是借助于歌厅舞榭，而是电视。电视机里有的牌子也挺红。但电视机的设计者呢？一部电视设计又包括许多的方面，有许多是只负责一个局部的设计者，而设计者的设计依据，又有赖于许多的技术专家的研究成果，而实用性的研究成果又依赖于理论上的研究，需要推进，需要突破，而当今世界上的科学理论也已分支极为细密，有时候一个人穷极一生才智、一世努力，也只能在那分支中的分支的某一个环节上有一点贡献，那也就很了不起了！电视机设计好了，还需要工程师和技术员指导技术工人投入生产。这其中又有管理人员的作用，管理本身又是一门学科、一门技术……而电视节目的制作、发射又牵扯到不知多少科技人员的艰辛劳动和才智奉献……但当观众坐在家里的沙发上，嗑着瓜籽，看到屏幕上红歌星那张未必么漂亮的脸蛋的大特写时，却只是惊呼着她的名字，而全然不知道，甚至可以说是完全不想知道与那红歌星的大特写出现在荧屏上有关的科技人员的名字……

当然偶有例外，例如十几年前有位老作家写了一篇文笔极佳的报告文学，使得一位搞非实用学科的纯理论的科学家名声大振，一时间成为家喻户晓的科学明星，并成为了持续的新闻人物，连他的婚事、病情、体重变化、客厅布置，都时有报道和描述。因从事科技工作而成为社会明星，这是该人的幸运，也是整个科技界的光荣，但这确也有赖于当时的特殊社会环境，以及某些机缘，正如峨眉山金顶的佛光，那并非时刻都有的常态，而是偶一呈现的妙观。

并非默默，你有重要的课题，有不小的突破，你与同行间有合作也有争论，你拎着资料包，西服革履地出席一个对于你一行和你个人都至关重要的研讨会，你在会上将有一个一刻钟的发言，发言用中文，而在紧接着的一刻钟答疑时间里，你将用流利的英语回答外国同行的提问……但将不会有记者去拍摄你们那个研讨会，因为那研讨的内容太专门了，犹如对于一只猫只讨论它的触须，而且也没有相当级别的官员出席，因而你们从事的这一切都不会在荧屏上出现，社会上绝大多数人将继续不知道有你和你这一行特别是你从事的这一分枝学科，就全社会而言，你是无闻地存在，你的名气不仅绝不能与那在地铁车站邂逅的红歌星相比，甚而也比不上你那居民楼下面卖煎饼的某位个体商贩。因为，你们那一片的居民都知道，那个鼻头上长着颗大黑痣的老王头，摊出的煎饼真叫好！你们楼里跟你总在一个电梯里站着的邻居，尽管常常对你报以微笑，但大多数始终闹不清你姓甚名谁，整天在忙乎些什么！

你在地铁车厢里默默地微笑，你岂止是心平气和，你实在是心旷神怡。你在默默中充分地感受到了自己那独有的沉甸甸的价值，你觉得非常幸福。

1992 年 6 月 7 日

# 皮肤饥渴症

儿子出生后，我从没觉得我儿如何超群地可爱，然而不管怎么样，他是我的——我的亲子！因而我常常把他抱在怀中，除了亲吻他那结实的脸蛋，又总不住地摩挲他的头发，他的胳膊和小手，双腿和脚丫，脊背和肚皮……

十多年过去，我儿长成一个大小伙子了，当年邻居中他的一位同龄人，也长成一个大小伙子了。那小伙子有一天突然对我说："刘叔叔，我真羡慕他——"说着指着我儿："您从小就总抚摸着他，我小时候可没人抚摸过我，稍大点以后，渐渐懂事了，看见您把他揽在怀里，轻轻抚摸，心里就痒痒；到后来，再看见这种情形，我就浑身的皮肤，全都麻躁起来……"

听后我很惊诧。他一样有父母，却从未享受过轻抚柔摩的父爱和母爱，他所说的那种反应，便是皮肤饥渴症。

他的父母，养了他，也不能说没管教他，却忽略了一桩为人父母所应尽的极为重要的人生责任——乐于将他揽在怀中，亲吻他的脸蛋、抚摸他裸露的皮肤和头发，挠他的胳肢窝，逗他欢笑……

有否抚摸幼小生命的浓酽爱欲，可作为衡量一人一族灵魂健康程度的准确尺寸。马牛狗无法用四足抚摸，便以舌头代之。"舐犊之情"如一面镜子，照出人类中存在着皮肤饥渴症的重大缺憾。

爱幼子，同爱一切新生的、幼小的生命，事物的心态，是相通的。

即使是狮虎狼豹那样的猛兽，其幼兽在灵魂健康的人眼中也会是娇憨可爱的，绝不会产生恐怖之感；即使是犀牛河马那样的丑兽，只要一缩小为稚嫩的小兽，乃至缩小为仿制的玩偶，大多数人也就消除了丑感而生出欣赏之心；甚至小鳄鱼也会在许多人眼中露出一种娇媚之感，刚从破裂的蛋壳里爬出来的小蛇也会令不少人感到有一种值得怜惜的慈相。更不用说幼小的孩子，无论黑、白、黄哪种肤色的，也无论他们的眉眼如何，只要发现着一派稚嫩的情感，我们就该忍不住心生爱意，想去摩挲他们的头发，拉拉他们的小手，乃至吻吻他们的脸蛋⋯⋯

从地皮中蹿出的一针春草，竹林中刚刚拱出的带绒毛的新笋，花枝上刚刚鼓起的花蕾，缀着露珠还没有成熟的青色果子，老松树枝丫上的嫩绿的新松针，池塘中刚出水还不及展开的一片荷叶、一朵莲苞⋯⋯也都具有相同的魅力——让我们以轻柔的珍爱，祝福他们生长、开放、成熟！

不能以轻柔之爱施之于幼小的生命，起码是一种病感的心理。生命的历程有其两端，我们中华民族一贯崇尚尊老，这其中有着值得永远发扬的精华，然而我们的文化传统中也有流传甚广的"二十四孝"，有过褒扬"郭巨埋儿"那种古怪做法的文字。生命的两端本来都值得格外重视，爱幼与尊老本应成为相辅相成的旺健民族活力的驱动轴，然而"郭巨埋儿"一类行为偏把新生命与老生命人为地对立起来。结果是肯定了老生命的无比崇高的价值，而主张以鲜活的新生命的彻底牺牲，来成全老生命的有限延缓——早在半个多世纪以前，先贤鲁迅先生便愤懑地发誓，要用世界上最黑最黑的咒语来诅咒"郭巨埋儿"一类的文化心态，那真是传统文化中地地道道的糟粕！

对于个体生命来说，童年时代所患的皮肤饥渴症，成年后或许可从与恋人的亲近中得到补偿。

对于一群一族的生命体而言，其中所存在的皮肤饥渴症如不注意及时解救，则很有可能酿生出粗暴与冷酷，一旦大发作，则会造成大面积的退化与荒芜！

我们应当终于憬悟——是否具有充足的抚爱力，对于一个民族重要到了怎样的地步！

1992 年仲春

# 剜苹果

用你女性的睿智与温柔，精细、宽容地观察、对待世界与人生。

世界不完美。人生不圆满。

世界和人生都犹如一只有虫眼或撞痕的苹果。虫眼有时甚至通向深处，乃至达于核内；撞痕使部分果肉凹陷变质。

虫眼并不是整只苹果。撞痕只伤及果肉的一部分，通常只是很小的一部分。

请从整体上观察苹果，从全局上把握苹果。

苹果在你手中。你有主动权。

其实，很简单——剜去苹果上的虫眼与撞痕下变质的果肉，世界便会变得格外可爱，人生便会变得格外香甜。

神圣的女性，你最善于剜苹果。

常常是儿子已对年老的父母淡漠，而女儿却仍怀着足够的关怀与温暖，照抚、愉悦着年老的双亲——因为女儿往往比儿子更能够剜去那些因年老而派生出的"虫眼"与"撞痕"，眼里心里仍满溢着父母那苹果的芬香。

常常是父亲已对孩子厌烦，而母亲却仍怀着足够的耐性与热情，奉献给孩子毫不见衰减的挚爱与教养——因为母亲往往比父亲更能够剜去那些孩子身心上的"虫眼"与"撞痕"，眼里心里仍只为自己结出的苹果而自豪。

常常是丈夫已经倒了霉乃至翻了船，而妻子却仍一脸温情地照顾他，安慰他，甚而至于风尘仆仆地到别人听见便要皱眉的地方去看望他，期盼他——因为妻子往往远比丈夫的朋友、同事更能剜去那些确实存在着的"虫眼"与"撞痕",眼里心里仍存念着丈夫那苹果的坚实与康健部分。

常常是奶奶或姥姥更能维系住一个矛盾重重的家族,至少在节假日能成功地把大家聚合在一起,共享哪怕是短暂的天伦之乐——因为奶奶或姥姥往往比爷爷或姥爷更能剜去那些家族苹果上的"虫眼"与"撞痕",眼里心里满储着儿孙辈的优点与进步。

常常是女生比男生更能体谅老师的辛苦,配合老师的教育,慰藉老师的心灵,忆念老师的恩德,保持与老师的久远联系——因为女生往往比男生更能剜去老师身上和教学中的那些"虫眼"或"撞痕",眼里心里只积蓄下老师的教诲之美。

并不绝对,可以举出许许多多的"例外",然而,往往,常常,女性比男性更善于剜苹果。

女性"剜苹果",用的并不是冰冷坚硬的不锈钢刀,而是温柔的"心刀",绝不急躁,更不粗暴,精心、细腻,在剜掉坏去的部分时,总是尽量少伤或不伤及附近的健康果肉。女性的"心刀"是人类足以自豪的瑰宝。

多么希望你们生存的世界是一只没有虫眼和任何撞痕、疤点的美丽光艳的红苹果。

多么期盼我们所经历的人生是一只连小小撞击都不曾遭遇的只散发着馨香的甜美苹果!

然而无数事实已经证明,我们所生存的这个"世界苹果"既有虫眼也有撞痕。

"人生苹果"呢?你的,我的,他的,并不相同,我的"人生苹果"遭遇多次撞击,你的呢?你真相信某些人所称他或她的"人生苹果"永葆圆满与完美么?

所谓圆满与完美的"人生苹果",是蜡制的苹果。那其实既非苹果,更绝非人生。

剜苹果是一种人生艺术。

这艺术远比用蜡或别的什么材料描摹或仿造的苹果高级。

剜苹果是人生进入成熟阶段的必修课。

剜苹果的过程,心中必涌动着对宇宙浩渺的敬畏,对生命的尊重与对人生的珍惜。

剜苹果时,心中会有大悲悯生,会有大彻悟,会有大超脱、大欢喜。

剜苹果本是面对腐败与不幸，但在剜的过程中却可以生出乐观与信心，满足与自豪。

动手剜苹果前，或许会焦虑。

焦虑者所焦虑的，往往远远超过存在着的值得焦虑的那些个客观事实。

并没有那么吓人的虫眼，更没有那么大的撞痕面，完全不是"已经没有一块好果肉"的状态。

折磨着焦虑者的，是焦虑的想象、焦虑的过程，一旦真的开始触及"虫眼"与"撞痕"，焦虑反倒会顿然减轻。动手剜苹果吧！剜虫眼和撞痕下变质果肉的过程中，焦虑甚而会戛然而止。

不要焦虑，因为我们能够剜苹果。

在剜苹果的过程中，认识这个世界，把握这个世界。

在剜苹果的过程中，直面你的人生，享受你的人生。

1992 年仲春

# 石桅待发

深秋时去了趟楠溪江。

楠溪江鲜为人知。它静静地流淌在浙南永嘉县多山的谷地。湖南的张家界、四川的九寨沟十年前默默无闻,现在已成了旅游的热点。楠溪江流域的风光景物自有其特异的品格,相信今后十年内将成为与张家界、九寨沟一样名噪中外的旅游胜地。

楠溪江有内建庙宇的古洞、保持千年古貌的村寨、众多的飞瀑湍流、绝无一星污染的纯净溪水……这里只说它的一个景点——石桅岩。

石桅岩是一座相对高度306米的完整石岩,望去宛若挂着梯形船帆的桅杆,高耸在一片比它低矮许多的丘陵之上。岩下三面是溪水清潭,溪水曲曲折折地从那里经过谷地流进楠溪江的主干中。乘小船渡过溪潭,可达于岩下一片险峻奇突的裂罅,循特意修筑的陡梯上攀,则有一神秘的水仙洞,旁有怪石、古榕、奇松、曲枫。岩壁缝隙间布满树木花草。据说岩顶林木中栖息着猴群,时常跑到岩下寻觅食物,当地旅游、环保部门已向附近村落中的农民提供资金,请他们按时将薯干一类食物搁放在岩下向阳的石坡上,供群猴果腹,以免它们因缺食而消亡,也可防止它们潜入附近农田毁坏庄稼。

石桅岩不是一个孤立的美景,周遭的山丘、溪谷与它本身构成了一个如诗的长卷。转到岩北,则有大片绿树环合的天然草坪,所生长的不是城市绿地中那种人工味的须状草,而是密密匝匝的叫不出名字的圆叶草,游人可以仰卧在芳香的绿草上,摆上一个"大"字,尽情地观览碧蓝晶亮的天宇下的石桅岩岩尖,啜食天地间那未受一纤污染的精华之气。越过石蹬拙朴的浅溪，越过蕨草丛生、佳树飘香的小小山坡，则有一片密密的竹林，以幽幽的小径将你欢迎到另一处潺潺的小溪，再从石蹬上越过小溪，便可循坡进入一处古风宛然的村庄。白墙青瓦的村舍，瓜棚豆架的院落，枇杷树、杨梅树、橘树、柚树、柿子树、乌桕树组合成一个四季斑斓的温馨世界。村里小学教师家两面敞开的堂屋兼作小小的接待站，供应刚从泥土里挖出拔出洗净烧熟的菜蔬。我们那天在那里吃到一盘素烧芋头，不过是鲜芋头用油盐烧炒而成，略加葱花而已，不搁酱油、味精等，入口却觉得此菜只应天上有，是那样地清新、滑润、可口，真是人间哪得几回尝！

石桅岩景区的特点主要不是雄奇，不是怪异，而是一派天然拙朴的自然美。我希望将来进一步开发，游人渐次增多时，不要用一些城市化的设施来破坏它的这种天然风韵。现在那绿草坪旁的冷杉中，有一圈特意摆成的坐凳，全是从溪床中挑拣来的鼓状卵石，便很具苦心与匠意。这种因地制宜的旅游设施，既省钱，又增出若干雅趣，值得提倡。石桅岩周遭没有必要再筑亭阁，实在要筑，也万不要搞那种最煞风景的水泥亭（尤其是往水泥亭顶涂以鸡屎黄色，往水泥亭柱涂以鸡血红色），而无妨以原木、竹材、茅草为原料来搭筑。

高耸蓝天的石桅岩，惹动同游人的丰沛想象和深邃哲思，汪曾祺先生认为这一景点可命名为"石桅永泊"，并吟诗曰："石桅泊何时，卓立千万载，壁尽几沧桑，青春怎不改。"他着眼于永恒，产生出一种永恒的敬畏感。古人早感叹过"山静似太古，日长如小年。"但那情绪比较消极，汪老的情思却是积极的，他强调永恒中的青春永驻一面，他本人也确实不仅鹤发而童颜，也处处露出一颗晶亮的童心。

我的感想却与汪老不同。我觉得石桅岩既然并非一根兀突无帆的桅杆，既然活像已经挂了巨帆的高桅，那么，它就并非永泊，而是正待出发，故而我愿将其命名为"石桅待发"。我心中涌动着一股激情，我想永恒是由无数个过渡阶段衔接延伸而成的，因此，静是动的准备，泊是驶的前奏，我着眼于消耗青春，去换取可贵的成熟！

离别静静流淌的楠溪江多日了。感谢楠溪江的风光健了我的身，也涤了我的魂。我将在石桅岩那举帆待发的雄姿启迪下，驶往我生活中的下一段航程。

1991 年 11 月 14 日绿叶居

# 卧游有术

一位朋友出访过欧、美、澳、亚、非十多个国家和地区，国内有的省份也几乎转悠殆尽，真所谓阅尽人间春色，十二栏杆拍遍，但他就还一直没登过泰山，至今也还没抽空去离他家并不太远的北京智化寺一游。见多识广如我这位朋友，尚且不能把世界上的风光游遍，一般并无很多条件外出特别是尚无条件出境旅游的常人，所以，为补偿对世上美丽风光的向往之情，工余闲暇时的卧游，便成为一桩极富意趣的雅事了。

所谓卧游，严格解释，便是躺在床上，借助书籍、画册到风光旖旎之地神游一番。其实，倘宽泛地理解，则无论是坐在书桌边，倚在沙发上，或采取其他的闲适身姿，也无论是除书籍、报刊、画册外，还借助于电视、录像、幻灯、音响或其他的感性手段，对自己所渴慕、所喜欢的风光作放松、尽兴的间接游览，均可划入卧游的范畴。

不经意的卧游，大约是许多人都有过的生活体验，尤其是电视如此普及的状况下，像许多人每到周六晚上必看中央电视台第二套节目《正大综艺》，那潜意识之中，最热衷的倒未必是其中的"正大剧场"或"名歌金曲"，而是对世界各地风土人情的大段介绍；有的人看电视中的《动物世界》，那作为主角的动物固然令他或她兴味盎然，而附带所出现的背景风光，也是牵动他或她不愿放过的重要因素。这种卧游，基本上是人予我受的方式，属于被动的、飘忽而过的，所以游时虽然轻松愉快，但过后也很容易淡忘。

我另一位朋友，无缘出国旅游、国内到处走动的机会。他极擅卧游。他的卧游，是刻意经营的，主动的，每游必留下鲜明的印象，不仅使他的业余生活大放光彩，也大大促进了他的身心康健。我以为，他在工作中的精神焕发、富于想象力和时有新颖创见，其实也与他的卧游有术相关。

举例来说，有个周末，他忽来兴致，要作多瑙河之游。他平时爱看中央电视台播放的"名曲欣赏"，注意用录像机辑录，其中自然少不了《蓝色的多瑙河》一曲，于是，他先倚在沙发上，重放这一曲，随着施特劳斯的那优美旋律，种种多瑙河流域的美景一一映入眼底。在赏心悦目之余，他感觉到自己对多瑙河的了解，其实十分模糊，于是，他到书架前，抽下了一册《简明不列颠全书》——那一套"全书"十巨册本是几年前单位作为一种"业务资料"按人头发下来的，因他在单位里搞行政工作，所以平时难得一用——查阅了"多瑙河"的条目，这下知道该河发源于德国黑林山，流经德、奥、捷、匈、南、保、罗、苏（当时苏联尚未解体）八国，最后从罗马尼亚苏利纳附近注入黑海。放下为他增添了知识的《简明不列颠全书》，他再看了一篇录像，节目是日本 NHK 广播电视台制作的，从画面展示的情景推测，是在德国、奥地利的流域拍摄的，因此，收入眼底的印象，应当说还只是多瑙河上中游的风光。罗马尼亚那多瑙河下游三角洲的景色恐怕又另有一番味道吧？他仰卧到铺上，双手交叉搁在枕上，再枕着头，眼望天花板，搜索着个人往日积累的印象。结果很快就联想到曾欣赏过的一部罗马尼亚故事片《多瑙河之波》，该片是以多瑙河三角洲的风光为背景，讲述一个反法西斯故事的。那影片无法立即重现眼前，但他想起自己积攒的录音盒带里，是有《多瑙河之波》这一曲的，于是他起身，从书架上又翻找出了那盘久违的磁带，使用了多日未曾启用的音响选曲功能，很快使自己又沉浸在与《蓝色的多瑙河》异趣的《多瑙河之波》的旋律中。但多瑙河三角洲的风光到底如何呢？他忽然想起，有一次参观一个专业性的博览会，曾领取到一份罗马尼亚参展团印发的资料，彩色精印，虽说主要是介绍该国的产品，但附有若干恰是展现多瑙河三角洲迷人景色的彩色艺术摄影，那资料他本已弃若敝屣，早打算处理掉了，现在何不找出来，使其成为卧游中顿生乐趣的一环呢？于是他又到阳台上废旧报刊的堆垛中，找出了那份资料，抖去灰尘，置于枕边，洗漱毕，他脱衣上床，钻进雪白的被窝，在床头灯的映照下，一边重听《多瑙河之波》的旋律，一边细细地品鉴着那资料上的多瑙河三角洲景色：壮观的芦苇丛、密聚飞行的鸟群、静静地在河湾开放着的鹅黄色莲花……他后来将那晚卧游的心得有一搭没一搭地聊给我听，竟令我嫉妒起来——因为我既去过德国，也去过罗马尼亚，并且有一晚还分明坐渡船横渡过多瑙河，但不经他提醒，我就说不出多瑙河究竟流经了哪些国家，并且对其上、下游的景观特点，似也不能像他那样明晰形容……何等游客，竟能足不出户，而身心尽吮其乐！我不禁搔起他的背来。

世界真大，而人生真短，严格意义上地遍游世界每一角落，几乎对任何一个人来说都不可能，因此，卧游的必要，实在是太大了！而卧游亦有术焉，让我们每一个人都注意创造、积累、交流、传播卧游的技巧与经验！

1992 年 2 月 29 日

# 大水法

北京圆明园遗址上所有的建筑残骸，不消说是一百多年前西方列强欺凌我们的铁证，这方面已有许许多多的文章论及，但倘将那些残骸细加观察，便会发现，它们恰恰又是西方文明传入中国的显例。这方面的文章似还不多，姑撰此文以抒己见。

一般都认为现圆明园遗址所存的建筑残骸，是当年西洋楼的遗物。其设计者，为意大利天主教士郎士宁和法国人蒋友仁，从绘制设计图样到全部建成，一共用了十四年。所谓西洋楼，并非一座楼，而是一组高大奇诡的西洋式建筑的统称，其中包括谐奇趣、美雀笼、方外观、远瀛观、海宴堂……景点，在前些年由香港导演李翰祥执导的影片《火烧圆明园》中，我们看到了一些搭制出来的西洋楼布景，那精华部分便是远瀛楼中的观水法——又称大水法一景。据留传下来的观水法图画和有关文字记录，则在安放皇帝宝座的台基后，竖立着高大的石雕围屏，两边设有巴洛克风格的石门，门的左右各有一座巨型水塔和接收喷水的水池，池旁依势放置的各类兽形雕塑布成半圆形，各兽形雕塑都是喷水口，水从兽嘴喷出，可齐喷，亦可依次轮喷，据说喷水的管口装有时钟，兽共十二只，既是中国的十二生肖，又合西洋的一日十二小时，每隔两小时（一个中国时辰），便有一兽嘴喷出水柱，依子鼠、丑牛、寅虎、卯兔、辰龙、巳蛇、午马、未羊、申猴、酉鸡、戌狗、亥猪的顺序，周而复始，循环不已。电影《火烧圆明园》中展示的大水法大体上重现了当年的风貌。

大水法建成于乾隆二十四年，没有证据能说明乾隆皇帝喜欢这一处景观。电影《火烧圆明园》里咸丰皇帝和后来的慈禧太后在大水法前的调情戏，当然也只是导演的想象；我们却可以举出强有力的证据，说明中国的皇帝们并不喜欢将水扬出向上而后再溅落下来的喷泉，那证据之一，便是在保存完好的北京紫禁城建筑群中，并无一处喷泉的设置，即使在御花园这样的地方，也没有喷泉——如今游人们在御花园后部由太湖石堆砌而成的小山前面见到的两个简陋的只喷出一线水柱并且没喷出多高便又垂直落下的喷水装置，是清王朝覆灭后才添置的，并且若不特别注意，简直就不会对其留下印象。

而在西洋园林之中，喷水池是绝对不能缺少的重要景观，像巴黎的凡尔赛宫，巨大的喷水池周遭精美的圆雕和大面积的阶梯状平台，所形成的观瞻、氛围和气派，都是非凡的。不仅当年的法国皇帝和贵族认为喷泉是不可缺少的美，就是今天有幸到凡尔赛宫一游的旅客，也几乎无不对那瑰丽宏伟的喷泉留下深刻的印象。

西洋人不仅爱在园林中设置许多的喷泉，他们的城市建筑中，即使是贫民区，也总有喷泉的设置，而在我们中国，以往不仅园林中一般不见喷泉，就是今日的大都会如北京、上海、广州，也仅仅在一些大的涉外建筑门前有喷泉设置，市民的共享广场及一般的街心绿地之中，永久性的喷泉数量寥寥无几。

这里面大概潜藏着中西两种文化心理的不小差异。在中国的传统文化中，"水往低处流"才顺乎自然，"小溪清水平如镜"是典型的水之美，固然也有"飞流直下三千尺，疑是银河落九天"的惊叹，"海上涛头一线来，楼前指顾雪成堆"的赞美，但所叹所赞的瀑布与浪潮，究竟还是水的自然形态，而非人为。西洋喷泉则不然，其旨趣全在人为地改变水的自然状态，本是一种下泻的物质，却非让它上扬起来，引以为乐。中西均有好的文化积累，作一比较并非想判其优劣，就审美心理而言，则几乎根本不存在也无必要去论优势，要而言之，中西文化不管源于何地何族，都是对人类总体文化的贡献，就水趣而言，中国园林的顺其自然的处理方式与西洋园林的喷泉式处理，可谓各臻其妙，都为人类文明进展不断增添着新的妙景奇观。

火烧圆明园的时代已然过去。世界已不是那时的世界，中国更非那时的中国。因此，我们中国应有容纳人类一切优秀文化的宽广博大的胸怀。正如西方世界不断引进中国文化，不断仿制出越来越多的中国式景观，以丰富他们的文化生活，吸引更多旅客一样。今日的中国，以改革开放的勃勃雄姿也不断向西方文化中汲取有益的东西，喷泉这一"大水法"已有普及之势，连在西方兴起年头并不太久的音乐喷泉和水屏电影等事物，也已出现在中国不止一处地方，丰富着中国人的文化生活，吸引着众多的游客，而且据说圆明园中"大水法"一景的恢复，也已在拟议筹划之中。

笔者对圆明园"大水法"一景的恢复并不怎样热衷，但对城市喷泉的提倡，却极愿投入自己的微弱的声音，以助风气——喷泉这玩意儿不仅有点景的作用，而且有益于净化空气，增进民众的健康，更重要的，我认为是它那把水这种本是只往低处流的东西，奋力地高扬起来，确实能对观者产生一种潜移默化的作用，引出丰富的想象力与充沛的创造力，从而大大激活我们民族固有的文化心理结构的良性调整与丰富发展！

1992 年 4 月 20 日

# 冰　吼

"日有所思，夜有所梦"。这话未必能解释一些梦的出现。比如昨日我的的确确毫无所思的一幕，午夜便活灵活现于我的梦中。惊醒后残梦余韵不散，令我在自家楼窗泻入的月光中倚枕玩味良久。

我的梦境总非工笔画一流，有时听妻讲起她的梦境，不仅人物眉发宛然，背景上的一花一叶也纤毫毕现，总是非常地羡慕；我的梦境一概是大写意，而且似泼墨般既淋漓酣畅又跳荡迷蒙。

昨夜的梦境是在一个湖畔。黑乎乎的树影，灰蒙蒙的冰面，不消说是一种严冬的景象，却看见我自己只穿着背心裤衩，足踏夹指塑料拖鞋，十分写意地在湖畔踽踽独行；有比树影更其墨黑的一些等高线条，在湖畔显现，使我意会到那正是湖岸边的铁栅，啊，不消说，那正是我非常熟悉的地方——北京城西边的什刹海，一大片不为许多外地人和旅游者知晓注重的水域……

什刹海的景致，倒也有不少的文章介绍过，我自己写的长篇小说《钟鼓楼》，里面也写到什刹海，且追溯到半个多世纪前的景观。一般介绍什刹海，总以夏日的风光为重点。的确，夏日环湖的垂柳或白杨一派翠绿，湖波粼粼。前海东侧总有大片的莲叶荷花，站在前海和后海相接的水域最狭处的名曰"银锭"的小桥上，朝西望去，在一片渐次开阔深远的湖面尽头，可以看到黛色的西山剪影。前人曾将此录入所谓"燕京十六景"之一，称"银锭观山"；前海当中有一小岛，本来只有一丛垂柳，一片芳草，甚有野趣，现在上面设了个游乐场，我亦认为是一大败笔——但不管怎么说，什刹海毕竟是北京城里难得的一处富于天然情趣的景观。又岂止是夏日有着艳丽的面貌，春日的柳笼绿烟，秋日的枫叶曳红，以及晨光中的水雾空蒙，夕照中的波漾碎金，兼以附近胡同民居的古朴景象，放飞鸽群发出的哨音，遛鸟的老人们悠然的步态……总能引出哪怕是偶一涉足者的悠悠情思，尤其会感到在波诡云谲的世态翻覆中，古老的北京城和世代的北京人总仿佛在令人惊异地维系着某种恒久的东西……

然而，上述的种种什刹海景观都未曾显现在我昨夜的梦中，梦中只有黑白灰三色的朦胧冬景既亲切又陌生，既朴实又神秘。我只见我近乎赤膊地缓步前行，不知从何而至，亦不知将欲何往。忽然，有一种绝对真实的声音，訇然响起，迷蒙的景色顿时抖动起来，而梦中的我顿时有一种大欢欣，通体产生出一种迸裂融化的极度快感。而转瞬之间，黑色化为了浓绿，灰色化为了翠绿，白色化为了嫩绿，墨色的栅栏化为了黛绿，在一片爽人灵魂深处的悸动中，梦中的我却又一身飘飘然的奶白绸衫，脚是赤足，踏跳在茸茸的绿草之中，身轻如电视中常见的慢镜头，悠然前行，亦不知为何如此，更不知欲飞何处……梦醒之后，那訇然的音韵仍萦绕于耳。对了，我恍然，那正是我熟悉的一种声音，非老什刹海畔的居民不能知的……

我在北京什刹海畔居住过十多年。一度我的居室后窗便朝着后海湖面。冬夜——不是那种北风怒号的冬夜，而是宁静到仿佛连空气都不再流动的最寂寞最冷清的冬夜，有时就突然从居室后窗传送进来一种短暂而惊心的訇响。头一冬乍听见时曾疑惑地自问：难道这城里边竟有饿狼？嗥声如此凄厉？西直门外动物园的大象的吼声也许如此，但纵有西风传送，那样遥远的距离，又是大象正该在象房中酣睡的时刻，何来吼声？……

有一回同一位忘年交的老者，冬夜里在银锭桥北头烟袋斜街的小酒馆里消磨到深夜，相互搀扶着，酩酊地在阒无一人的湖畔往住处走。忽然，一种熟悉然而更其清晰也更其沉重的音响忽然从湖上传来。老者遂对我说："听见了吗？这是冰吼，这声音是很难听到的——在一般的江湖河海，因为冰冻的部分膨胀时，总能朝尚未冻住的水域延伸，又因为周遭并不拢音，因而都没有这种声音，唯独我们什刹海，全湖都冻住了，进一步干冷，冰面不由得猛地膨胀，又胀不出去，因而发出这样一种苦闷而欲求解脱的吼声，偏这后海一带又极为拢音，所以听来这样惊心动魄！"

梦醒后，我久久地回味着那真实而动人的冰吼。我不信占梦术，亦不倾心于弗洛伊德的《梦的解析》，我不认为此梦与白日所思有关，不觉得其中蕴含着多少复杂而深刻的意味，我只是更由衷地判定自己尽管祖籍四川落生在成都，但定居北京四十余年的结果，是我已成为了一个地道的北京市民；而且尽管我迁离什刹海畔已有十多年之久，我的灵魂中却已渗入了什刹海的风土人情，乃至那鲜为人知的独特的冰吼。今年的冬夜，要不要寻一个风定人静的时刻，再在酒后到什刹海畔漫步，聆听一回别有韵味的冰吼呢？

1992 年 6 月 26 日

# 海风吹

在美国曾见到过一对年逾七十的夫妇,不是华裔,是地道的"老外",偶然向他们提到了上海,那丈夫扬起一双银色的眉毛,妻子用力把双手握到了胸前,都感情真挚地感叹说:"了不起的大都会!"他们三十年代初都到过上海,在他们印象中,上海是个同纽约、巴黎媲美的大都会,是一个世界性的城市,代表着极度的繁华和无比的新潮……当然,我心中不失警惕,他们是不是罪恶的"冒险家",有两双殖民者的眼珠,故而那赞叹别有用心?然而后来搞清楚,男的当时是货轮上的见习水手,女的当时是客轮上餐厅中的服务员,都是"红五类",他们后来也一直没有发财,双双以"蓝领"身份退休,并再无财力到中国上海旧地重游,因而,他们对上海的赞叹,确实只客观地证明着上海在世人心目中早就确立了的大都会地位。

三十五年前,电影院上映了一部叫做《上海姑娘》的故事片,映出时因为编剧已然"出了问题",但导演尚无事,所以将原来是彩色的影片一律制成黑白的拷贝放映,尽管如此,依然观者如潮,当时北京有句街头影评,叫做"光'上海姑娘'四个字就值两毛钱!"那时首轮影院的甲级座位票价两毛五分;其实若再将两毛五劈分,则"姑娘"也不过只占一毛钱(当时有"姑娘"含意的片名不止这一部),而"上海"恐怕倒要占去一毛五。的确,从五十年代一直延续到六十年代乃至更久,上海是人们心目中的"时髦中心",什么发型最新,什么样的领子样式最俏,什么花边最美,什么样的提包和皮鞋最神气,眼珠都得朝上海转。六十年代初北京开张了一批"上海迁京"的理发店、服装店、照相馆,家家门庭若市,那时候的北京人去了一趟"上海迁京"的店铺，大有如今逛了趟深圳特区的感觉，"贵是贵，好真好"，乃是普遍的口碑。也很有几家专营上海菜的餐馆，名气一流，食客如云。

当然，外地人特别是北方人又尤其是自诩为"京派"的北京人，对上海也一贯有点"那个"，将上海风格称为"海派"，便含有醋酸涩涩的味道。我的一位老北京朋友就曾鼻子里先哼出一声说道："上海人！粮票半两半两算计的人！"当时买点心要粮票，北京人一般都二两算起，一两一个的点心已然不多，然而到了上海，你大可买一只半两的点心吃，没人觉得你奇怪。不过这不是北京人看待上海的主流，北京人那时心目中对上海领导时髦新潮流总体而言是艳羡而臣服的。

这些年上海在北京人心目中确实是黯然失色了。时髦的中心不再是上海而是广州，或推而广之是珠江三角洲，而广州的背后则是香港，现在北京如雨后蘑菇般地冒出了一大堆粤菜馆和广式或港式发廊（又称发屋或发型屋），"上海迁京"的店铺不再是追逐新潮的人们心目中的圣地，各种合资机构的店铺尤其是地道洋味的店铺已多得逛不胜逛；原来买饼干自然要买上海饼干，如今却由广东饼干占据了百分之八九十的北京市场；常听从上海出差回来的人谈上海街上的 TAXI 比北京少了不知有多少倍，而搭乘起来更远比不了广州方便；原来到上海出差旅游，逛外滩看高楼、蹈南京路逛商店是了不起的乐趣，然而如今北京的高楼远比上海多比上海新也比上海高并且相当密集，例如建国门到大北窑不过一两公里的大马路两旁，光高档饭店便有天平利源饭店、长富宫饭店、赛特饭店、建国饭店、京伦饭店、贵友饭店、国贸饭店和中国大饭店等许多家，从大北窑北望，一栋绝不比纽约、巴黎、东京等地逊色的五十层玻璃幕墙大楼拔地而起，它并不叫做"京海中心"而叫做"京广中心"，神气活现地向北京人展示着广州领导时髦新潮流的尊贵地位，而进一步使北京人淡忘了上海。更何况在北京有美国肯德基炸鸡公司几千个世界连锁店中营业面积最大的一家，有同香港本地一模一样甚至营业面积也比香港多数连锁店更大的"惠康"超级市场，里面几乎一律是港货或洋货，并且可用人民币结算；类似美国迪斯尼乐园那样的游乐场在北京不是有一处而是有三处，其宏伟的"过山车"离心圈都有两个之多。我去过香港的"海洋公园"，那里的"过山车"规模已被北京比了下去。北京还有一条秀水东街，就是"老外"们到了那里也都觉得所售卖的服装绝对是当今世界上最新潮的。北京人的眼珠还何必转向上海呢？再有一部《上海姑娘》放映，还会有人认为光那片名就抵得过票价么？

然而传来了开发浦东的消息。这对普通老百姓来说意味着上海不仅将恢复并且将发展为一个超级的中国对外门户、口岸，从而长江三角洲与珠江三角洲在改革和开放的广度、深度和速度上都将进一步展开活泼跃动的大竞赛；而就距出海口更近和往昔的基础而言，就上海人的精于算计、勇于创新而又擅于应变而言，上海肯定可以又一次成为比广州更激动人心的国际性城市，一个繁华而光明的大都会。对于北京的芸芸众生来说，究竟是上海的衣领样式时髦还是广州的衣领样式时髦，中秋节时究竟是一定要买广州"陶陶居"的月饼，还是一定要买上海"杏花楼"的月饼，恐怕都将成为街巷中争鸣不休的"学术问题"。目前北京有许多语言学校开设着"粤语班"，报名学习者甚众，而"沪语班"一家也无，可以设想，将来一定会有。

"粤风"，其间掺杂着浓稠的"港风"乃至"台风"，把北京一班市民吹得真有点晕头转向了，"海风"这些年来实在是微弱了些，愿清新健康的海风再强劲动人地吹送过来！

1991 年 10 月 7 日于北京绿叶居

## 养绿萝

去年 12 月 12 日，接到朋友电话，说他刚看完我的《蓝夜叉》，忍不住要立刻告诉我：他本是有一搭没一搭地往下看，但看到某几处还是让我"打了几下"。他觉得从这篇新作感到我进入到一种新的心境，去掉了烦躁焦虑，却增加了透脱通达。他说我写到作品中的"我"面临母亲身患癌症时，所使用的叙述文体甚好，确实，"这对于世上千千万万其他的人来说也实在算不得什么。几乎每天都有癌症患者在死去。"他说这篇东西也许不会受到注意，"但你自己没事读读它也是好的。"

接电话时，我却仍未收到刊有《蓝夜叉》的《芙蓉》第六期。稿子寄出去好久了，我已把它淡忘。撂下电话，我就天天等刊物，像雨中撑着把伞，等待那照例要姗姗来迟的恋人。

刊物到了，灯下展读，我自己也被"打了几下"。意识到，这《蓝夜叉》首先是为我自己而写的——为的净化自己的心灵。

我在家里每间屋子里都养了绿萝。养绿萝干什么？因为绿萝对日照的要求不那么强烈？因为绿萝一旦成活后只要保持水分不刻意施肥也能伸蔓展叶？因为养绿萝不必孜孜地期待开花结果，只要绿叶尚存便乐趣盎然？抑或是如某些报纸副刊上的"豆腐块"文章所说，绿萝有吸附室内灰尘和不良气体的功能，可以净化室内空气？……

这当然都是我养绿萝的目的。但更重要的是，绿萝能沁我心脾，净我魂魄。

写《蓝夜叉》，养绿萝，无非都是为营造一个境界。

《蓝夜叉》写了早年隆福寺的种种斑驳陆离的景象，那是物境；又写了隆福寺的湮灭，那是时境；随着其中"我"还有他父母以及甘木匠一家两组人物的沉浮生死，自然又显现出世境；当中刻意描写的是甘福云，体现于她身上的是入境和情境，而反照于"我"的叙述中的则是一种特有的心境；努力使这种心境去穿透物境、时境、世境、入境、情境，无非是想达到一个悟境。

我体味到的悟境，是一种莫可名状的大悲悯。

写《蓝夜叉》，养绿萝，也还都是些小境界、小感悟、小意思。

也一直酝酿着大部头的东西。那需要巨大的穿透力。时常翻阅《红楼梦》。怎样才能具备那样的笔力？二十六回里写到小红和佳蕙的对话，小红那"……俗语说的好，'千里搭长棚，没有个不散的筵席'，谁守谁一辈子呢？不过三年五载，各人干各人的去了。那时谁还管谁呢？"固然是值得被无数评家引用的名言，佳蕙的话就当被忽视吗？她说："你这话说得都是，昨儿宝玉还说，明儿怎么样收拾房子，怎么样做衣裳，倒像有几百年的熬煎。"我以为"倒像有几百年的熬煎"一句，更可以作为《红楼梦》全书的总括，而且也要具独创性。一个小小细节，两个次要人物的私房喁喁，便能穿透关照全书，几时能学到此？

绿萝还要好好养。《蓝夜叉》这样的小说也还要继续写。实在写不出大部头的上品来，就这样也行吧！人需上进，更贵自知，对不？

1992 年 1 月 16 日于北京绿叶居

# 小报纸大乐子

"文革"后期，传达庐山会议上毛主席对林彪老婆叶群的批评，有一句话是说她"爱打听小道消息"。当时心中很觉诧异，因为叶群那时贵为副统帅夫人、林办主任，本身又进了政治局，对于她来说，也还有值得打听的"小道消息"么？

现在不拟对此事作政治性分析，只是想说：社会中的个人，无论身居何位，到了何等档次，除了"大道"之外，也总难免还要接触"小道"，即如报纸，只读"大报"，而绝不涉目"小报"的人，我想即使有，怕也只是少数吧。

我这人就不仅很乐于阅读小报，而且也颇乐于为一些我喜欢而编辑也不讨厌我的小报投稿。有朋友好心劝告："你为什么把自己的思想、素材如此地零卖掉呢？还是埋头写大作品才有意义啊！""大作品"如仅指字数而言，那么我也还在写，但总不愿"埋头"，因为自知什么什么责任"历史地落到肩上"，比如说响应"时代呼唤巨著"或"为文学史留下丰碑"，我都既无力也无能，更不必亦不拟挺胸耸肩地予以承受。我不过是一名极普通的作家。我写，一是因为觉得写自己想写的东西乃极大的快乐，二是"著书都为稻粱谋"，三是往外投稿时自然也企盼能给读者一点好处，如无深刻的启迪，能使读者微微一笑也好。

给小报写稿，算是"提篮小卖"吧，没有做大生意的手段，来点"不输长巷卖花声"，我以为也很惬意，亦颇称雅事。小报给了我许多快乐，为小报写稿，也算是投桃报李吧。

有人说："小报太胡闹，今天登一篇《生命的意义在于运动》，隔些天说不定又登一篇《生命的意义在于静止》，一会儿说胆固醇对人体有害，一会儿又说人缺了胆固醇不行。"我却以为他们列举的命题倘来稿都能有所依据，都言之成理，那小报原文照发，绝非胡闹，而是热闹。这世界实在需要热闹一点。读小报别太死心眼，报上乱花迷眼，你只当万花筒转着看，小报纸定能给你个大乐子。

1992 年 6 月 14 日

# 岁月如筛留真情

岁月真如一面筛子，不知不觉中筛去了轻浮，留下了厚重。好。

案头摆着今年得到的贺卡，比以往少。少得好！纯粹礼节性的顺便签寄的、附有别意的、一时兴起的，都少了，筛出的全是真情实意的，于人于我都好。

年岁越长，那岁月的筛网漏眼似乎便越大。网眼大好。原来颇耿耿于怀的，现在只觉实在算不得什么，任其从网眼漏下，只觉得轻松；而原来并未真以为然的，一番筛动后却留在了筛面上，沉甸甸的，提醒我人生的权利和义务所在，使我懂得珍惜、珍重、珍爱。

岁月不停地筛动着，时而迁缓，时而猛烈。岁月的筛公正、冷静、沉着。我在岁月的筛上成长。筛下的即使是我舍不得的，也只好认头。筛剩的即使是我负之沉重的，也只好承担。仔细想来，这便是人生。能对人生有清醒的眼、脑，看时不变形，思时不入邪，好。

我筛掉的，也许正落在别人的筛面上；别人筛掉的，又也许正落在我的筛面上。岁月如筛，但对每一个人来说，却又是各有一面筛。筛上的网眼，由岁月和各人协同编织。也许网眼过大时，需抽出心中之丝，将其补缀得细密些吧——但我眼下还无此种欲望。我只觉得以往的网眼，于我来说是过于细密了，有的地方，更被幼稚、无知、狂傲、莽撞、自作多情、想入非非所蒙蔽淤塞，所以该漏的没有漏下，而不该眷恋玩味消化驱动的，却耗费了许多情感、思绪与才智，不仅无益，反受其害。从今以后要力求除弊清淤，协同岁月的筛子，筛掉虚伪，留下真实；筛掉矫情，留下真情；筛掉混沌，留下清醇。

这样一想，真好。

*1992 年岁初写在给自己的贺年卡上*

# 入乡随俗谈何易

得到瑞典科学院发出的邀请，即将去瑞典、挪威、丹麦三国进行一次个人的文学访问，这是我第十回出国门旅行了，按说不应再有什么"怯行"的心理，但临行前却仍有一种惴惴之感，担心自己不能入乡随俗而闹笑话生误会。

记得1984年初冬访问那时的联邦德国，在波恩的"德国之声"电台接受了一次采访，后被制作成约十分钟的节目；事完，陪同我的德国汉学家朋友让我稍等一下，说去领取报酬，我便在休息室恭候，不一会儿他领来了，一本正经地对我说："节目报酬是五百马克，我们一人一半，即你得二百五十马克；你托我替你买一张到科隆的火车票，一张从波恩到科隆的火车票是三十五马克，二百五十马克扣除三十五马克是二百一十五马克，现在我连火车票都放在这个信封里了，请你清点一下。"说毕便把那装有钱和火车票的信封递到我的手中。我接过便要往衣兜里放，他颇惊讶的样子，提醒我说："你该清点一下。"我说："不用了不用了。"他便又说："现在我有另外的事，就不陪你了。现在已到吃午饭的时间，你自己吃吧。这电台的地下室里有很大很便宜的自助餐餐厅，我建议你去那里吃。这建议供你参考。再见！"说毕，同我一握手，他竟翩然而去了。

我在那地下室中一边吃着自助餐，一边心里好不是滋味。我有一种受到侮辱和冷落的感受。倘是那汉学家到我们中国的电台来作节目，我问他答地录一遍音，电台给了报酬，我好意思不全给他而自己也拿一份吗？好意思跟他"对半劈"吗？如果他托我给他买一张北京到天津的火车票，我买好票以后，好意思从给他的那份钱里往外扣吗？我们什么时候这样对待过"外宾"？又怎么能"拜拜"一声便自己急匆匆地走人去办自己的事，撂下人家一个人自己吃饭，并且还建议人家到一处最便宜的其性质就是单位大食堂的地方去吃饭？这不是分明瞧不起人吗？……更何况我知道那在大学里当教授的汉学家，他一个月的收入，包括薪酬和其他比较固定的进项，总有一万五千多马克，相当于这个节目酬金的三十倍，怎么这么点儿钱他也那么样地在乎？当时我的月薪有人民币一百五十元，我就想如果我拿到五块钱酬金，我一定全数都给与我合作的"外宾"（"内宾"也一样），我一定不会那么"抠门儿"，那么"丢份儿"！

后来有一天我和那汉学家又同两位旅德华人一同在一家中国餐馆进餐，其实吃的无非是广式早茶，并不怎样昂贵，但到最后"买单"时，两位华人却为争着付款你拦我挡，弄得喧闹不堪，使餐厅中的其他食客都不禁为之侧目；这过程中那位德国汉学家却安坐如山，令我心中鄙夷——这是您德国的地面，您又是邀请我访问的主人之一，怎么您就不可以付账呢？后来因那二位争执不下，德国汉学家方插进去说："我看就不要争了吧。时间很宝贵，我和刘先生还有别的事要办。我建议：你们一家付一半吧！"我听了简直不相信自己的耳朵，能这样建议么？当然那两位华人没采纳他的"馊主意"，后来还是争得最凶的那位付了账。

在德国待了一段时间以后，我才渐渐明白，汉学家之所以那样做，一点儿也不奇怪，倒是很正常的。比如那笔五百马克的节目酬金，依德国人的正常思维，他是不好全数给我的，那很可能形成对我人格的不尊重，"对半劈"倒是一种最尊重我的得体做法；而我说过的是请他"替我买一张"火车票的话，我没有说请他"送我一张"火车票，因此他不能将火车票白送我而必得从那一半酬金中扣除票款，才算对我尊重；他建议我接过信封后清点一下，我竟不点，他甚感惊诧，则是在他们德国人的人际交往间，金钱或别的事情，都是越当面说清当面点清，越是尊重对方的表现，不说清不点清而含糊应之，倒会令人觉得是一种无礼；至于他建议我去吃便宜的自助餐，是因为在德国包括许多其他西方国家，百万富翁也并不以吃便宜的自助餐为耻，教授文化人在吃饭上节省更绝非什么丢人现眼的事，即使是在作为"宾客"的异国之旅过程中；那回去吃广式早茶，因为进餐馆前那两位华人都说了他们请客，因而被请者就一定不要去付钱，否则也是一种不尊重人的失格之举……

我和那汉学家后来成了朋友，从德国返回北京前，他和夫人陪我逛一家高级百货商店，他们买了一件价值不菲的新款上衣赠我夫人，那是倘若他们到北京访问，我决计无力赠与他们的重礼；后来他们又说要为我饯行，是在一家极高雅的西餐馆吃的德式大菜，所费亦相当不赀；最后一同逛书店时，他们又买了一本大开本的精装画册赠我儿子，说是可以从中了解德国风情。也许他们这样做并无多么深厚的感情依据，不过是出于礼貌吧，但我事后定下心来一想，也就不能不承认我开头对人家的怨责全出于误会——我那时看到了德国风光，却并不了解德国人的心理，不了解他们人际交往间的"游戏规则"，不了解他们的"乡俗"，当然，最根本的是我进入了他们的土地却未能迈进他们的文化。

这样的误会乃至于笑话在别国访问时也发生过。比如在法国，有一回一位法国男士请我去他家做客，去后他家迎出一位年龄与他相仿的女士，一进门那女士便与他拥抱亲吻，热烈非凡；他向我介绍了那女士，让我叫她的名字，我却依中国人固有的思维定势把她认定是其妻子，喝香槟时便极不得体地问她他们是什么时候结婚的、有几个子女……其实在法国有许多男女在一起同居并且偶尔也共同招待客人，但他们绝非夫妻，人家倘若未向你说明是夫妻关系，你是绝对不要那么想当然地去瞎跟人家"套磁"。又记得在美国，有一回一个美国人到我住处看望我，赠我一件礼物，用极其精致美丽的闪着银光的包装纸包装着，还系着蔚蓝色的彩带花结，我接过后连连道谢，同我住一处的朋友便让我拆开看送的是什么，那美国人也盯着我，我却觉得那么精致的包装撕拆了可惜，而且认为急忙打开观看是一种"丢份儿"的行为，便没有打开，搁放到一边了……后来我才懂得，我那样做很让馈赠者下不来台，在美国，人家送你一件礼品，不管包扎得如何堂皇富丽，你都还是应该接过后便立即当着馈赠者打开，看他送的是什么，并直率地说出你的第一观感，表示出一种惊喜或惊奇，那才是你对他尊重的起码表现，人家走后你再打开是万万不妥的冷淡人家的一种行为。

这里所举出的当然都只是一些浅层次的事例。其实要真正体察另一国家另一民族的文化心理，那是很难的，有一位已在美国定居二十多年并且英语的听力和口语能力都极强的台湾文化人告诉我，直到如今，有时同美国人在一个"派对"中，他们说的那些话他每一句都听得懂，但有的话美国人听了笑得乐不可支，他却丝毫体会不到其幽默感何在，真是无可奈何。

这一回要去的是北欧。北欧又有北欧的风情，有北欧的民俗，有北欧人的心理特质，有北欧的特殊文化，我想只要我不自以为是，不要总以我们中国人固有的思维定势，轻率地对所遇到的种种情况作出简单的判断，也许能少生出些误会，并且不闹出笑话来吧！

# 让"卑"字走开

当潇潇春雨洒下时，你在哪里沉思？

我记得，正是一个春雨湿透了花芽的傍晚，一个脸色苍白的姑娘，打着一把黑伞，找到那时我住的胡同小院，一见到我，便急切地问："我还有没有希望？"

她是从很远的小地方来北京报考戏剧学院的。因为和我有点远亲关系，又因为那时候我同戏剧学院的几位教师有些来往，所以，她竟把被录取的希望，大半寄托在了我的身上……

那一回的结局是悲剧性的，她没有被录取。

临返乡的时候，她肿着红眼泡来向我告别。我和爱人准备了一些水果，想让她带到路上去吃，没想到她一进门，便递了一大筐水果给我们，而且她所买的，要比我们准备的贵得多……

记得那天她一再问我："怎么办？我回去怎么见人？"

不记得我们是怎么样安慰和鼓励她的了，只记得她走了以后，才发现她落下了她那把黑伞。

好几年过去了，我把那姑娘忘得也差不多了。有一天晚上我和爱人坐在沙发上有一搭没一搭地看电视，忽然，爱人叫了起来："你看！那不是那年来考戏剧学院的姑娘吗？她的伞还在咱们家哩……"

我定睛一看，果然是她：她曾经梦寐以求在荧屏上一展风流，如今竟如愿以偿！不过，她并非出现在电视剧里，也不是节目主持人，而是以她的本来面目和观众们见面：原来她已成了当地一家民办企业的总经理。他们那家企业成绩卓著，富甲一方。只见她在荧屏上侃侃而谈，仪态万方……

我和爱人都为她高兴，爱人笑说："她一定早把那把伞忘到爪哇国去了！"

又过了一些时候，忽然接到她一个电话，说要来北京搞一个活动，想抽空到我家来，取回那年放在我家的伞……电话里她爽朗地笑着，我们自然把她取伞的话当做幽默，但出于礼貌，也就报告她，自那以后我们已经搬了三次家，那伞早已不知何在，我们欢迎她来做客，并乐于赔她一把新伞。

她在约定的时间来了，我们有一次对双方都很重要的长谈。

现在我把她那天的话，大略地记在下面：

"……你们一定想不到，那把伞，那天我是故意落在你们家的，我去以前有一个精心的策划，我落下那伞，就有了个继续跟你们联络的由头；我还幻想着能凭借你们跟戏剧学院那些人的关系，让他们把我补进去……不去说我当时那些天方夜谭的怪想法吧……且说我那天回到住的地方，不知怎么搞的，您的一句话总响在我的耳边：你一定要让'卑'字走开！……是的，您说您完全忘记自己说过这句话了，当时你们为了开导我，说了许许多多的话，这当然只是其中的一句而已，而且您当时主要是让我不要自卑……是的，我那时心里头老有个'自卑虫'爬来爬去，我对那些大码头去的考生又羡慕又嫉妒，不服，可走到她们面前又禁不住自惭形秽……但那一夜我翻来覆去睡不着，心里头扎着尖刺一样难受的，却是另外一些个带'卑'字的词儿；我想到'卑微'，是的，我明知自己实力不行以后，还想着耍一点小手段，以为那样就能挽回败局，一副猥琐的模样，难道不是地道的卑微吗？我又想到'卑琐'、'卑劣'，故意忘下一把伞，这算演的什么戏？我更进一步想到了'卑鄙'，是的，卑鄙！我虽然还没有做出卑鄙的事，但一个卑鄙的想法却隐隐拱动在我心间——因为特别不服同省来的一个被录取的考生，我打算写一封匿名信，坏掉她的好事！我之所以去你们家以前没做这件荒唐事，并不是因为我良心上有一种道义的制约力，而主要是我卑怯！想到这儿我一身冷汗，卑污！卑下；卑贱！……在我的意识流里，自然也浮出了'卑贱者最聪明，高贵者最愚蠢'的句子，但我的理智不容我从中捞取稻草，那话里的'卑贱者'有特定的含义……我从床上一下子猛然坐起，窗外的春雨仿佛都洒到了我的心上,我久久地抱膝而坐,思绪翻搅……就那样一直深思到清晨,最后我决定真的回家,一切从头开始;所以那后来你们不见我再到您家,卑躬屈膝地求你们再给我走后门……回家以后,我时时提醒自己:让'卑'字走开!当然,做到这一点并不那么容易,特别是驱逐'自卑虫',因为我的中学同学,我家的邻居,许多的亲友,都知道我是一个失败者。当自尊的盾牌抵挡不住歧视或怜悯的眼光扫射时,自卑便不由得蚊虫般孳生……但我终于还是把'卑'字驱赶走了。现在我取得了一些成功,我得深深地感谢您,因为是您的一句话向我的灵魂敲响了警钟。这句话现在成为了我的座右铭,使我的生活充满了自尊、自信、自爱、自强的亮光!想起来真好笑,我换取您这句话,付出的只是一把破伞……连我那天带去的水果,你们不是也让我带回去了吗?……"

听了她的述说,我既吃惊,又高兴。"让'卑'字走开!"我真的这样对她说过吗?也许!但现在她对我的倾诉,实际成为她给予我的启示,她身体力行地做到了,我自己呢?可能我在文学上取得了一些个成绩,与我自觉不自觉地离开"卑"字有关,但与现在的她相比,我恐怕自觉的程度就大大不够了!

仔细想来,人性的深处,很难不趴伏着"卑"字。在某些外部因素的诱导下,不仅自卑会野草般丛生,卑微、卑琐、卑劣、卑下、卑躬屈膝、卑怯、卑鄙、卑贱……都可能涌上心头,使人现出丑态,做出丑事。在那种情况下即使取得一些名利,又怎能视为真正的事业成功!

正直而富于进取心的人,一生应时时警惕"卑"字的侵袭!

朋友,你让我告诉你一些取得成功的秘诀,我没有什么秘诀,但我愿告诉你这件事,也许,我们可以一同沉思……

又是一年春草绿,潇潇春雨又织成温柔的帘幕,你可是打着一把伞,在事业的途程中匆匆趱行?

我们的心,可能在一个交汇点上相逢!……

# 追兵来了

很小的时候，看恐怖电影《夜半歌声》，吓得半死；后来想起这片子觉得很幼稚，别的印象都淡漠了，唯独里面有一首插曲总忘不了，尤其那头一句："追兵来了……"

现在挖掘自己的潜意识，承认自看过那片子后，总有一种"追兵来了"的惶恐在涌动；我虽然很少唱歌，尤其没有放声凄厉地吼叫过"追兵来了"，但我的生命史，自那以后却时时处在高歌"追兵来了"的线谱之中。

是的，"文革"前，目睹了许多父兄被打成"右派分子"、"右倾机会主义分子"的惨状，心里很是战栗，主观上是绝对不愿蹈他们覆辙的。因而说话行事尽量小心，但就有那练就了一双"以阶级斗争为纲"的"火眼金睛"的"积极分子"，像追兵一样侦探着我等的一言一行。比如有一回我独自在宿舍里哭泣，被一位主儿隔窗听见了，他便去报告了领导，结果非要我"说清楚"。我说是突然得知一个亲戚故去。便问：什么成分？因何而死？对你有什么影响？为何不"化悲痛为力量"？……后来虽没把我怎样，但那"无可逃遁"感，却是铭心刻骨的。

"文革"当中，"追兵来了"的阴影更加浓重，有一度真是不知该怎么"站队"才能算是"大方向正确"。以"反右"的殷鉴为指南吧，却又成了"保皇"；以"我的一张大字报"为准绳吧，那被批判的领导人又分明还在参加检阅"红卫兵"，不知内情的我等怎敢轻举妄动；不动吧，又简直"反动"；后来就卷入"派仗"，争个"正确"的名分，但结果是哪派也不行，都得接受"再教育"……总之，为了不被打入"另册"，"追兵来了"的凄厉歌声啼号心底，算是一种自我警策。

"文革"以后,"以阶级斗争为纲"的"追兵"越来越失去了其合法性,但小帮小派、散兵游勇犹在,或借题发挥,或小题大做,或无中生有,或胡搅蛮缠……我虽不再是以往那样地没有主心骨儿,认定了改革开放不回头,并极愿在时代潮流中努力抑制自身弱点、克服缺点、修正错误,找准自己位置,发挥一点作用,但亦不得不时时提防身后的"老式追兵";好在社会特别是为数极多分布也极广的读者待我尤厚,使我对身后的此等"老弱残兵",渐渐不以为意。

但良性的"追兵",这些年来也开始出现,首先是一些热心的读者,时不时给我来信,要求我一定不要搁笔(不是反对我改用电脑的意思);而不少评论家,也不因乱花迷眼、新秀迭出便弃我不顾,时不时还给我许多有益的启示;特别是一大批杂志和报纸副刊的编辑,那可真是名副其实的"追兵",信追,电话追,电报追,电传追,有的干脆追到家中,那份热情,那份信任,那份执著,那份急迫……我常常想,如果没有他们的"追赶",我能写出这么多的作品吗?如果不是他们坚定不移地支持我,我能克服所遇到的那些困难特别是心理上的困境吗?

也有我自己心里头冒出来的"世俗追兵":上有老,下有小,一家人过日子,靠我"赋闲"的"工资"和妻子提前退休的退休金是无法维持在"小康"线上的,所以要"著书都为稻粱谋",每月要保持一定的发表量;为何不"五日一石,十日一水"?为何不"埋头十年"写"巨著"?怎么就不能发扬"一箪食,一瓢饮"的传统美德?怎么就不甘"茅椽蓬牖,瓦灶绳床","举家食粥酒常赊"?把那些"世俗追兵"赶尽杀绝岂不崇高、伟大?但我亦有与王朔辈相通之处,乐于远离所谓的"崇高"与"伟大",尽管我精神上有自己的终极追求,我却愿宣布周知:我不想过所谓"清贫"的生活,正如我也不向往"挥金如土"的"大款"们的世界一样;我在物质上不该匮乏,我要过一种雅致的有尊严的生活。为此,我得去奔——"追兵来了"的感觉一点坏处也没有!

当然我身后还有一个谁都摆脱不了的大"追兵"——它的小名叫"时间",大名叫"岁月"。想想自己居然年过半百,不禁惶然,去日不返,来日匆匆,又生逢一个大转型的历史时期,真不敢有半点懈怠。倘止步不前,徒让岁月(它更郑重的名称是"时代")超越乃至抛弃,那就算躯壳犹存,又有何意趣!

记得《夜半歌声》里的那首歌唱道："追兵来了，可奈何？娘呀！我像小鸟回不了窝……"则一种"魂不守舍"的味道，如今我的魂儿是吓不出舍的了，但依然不能平静；也知道有佛、道等宗教，可以去皈依，比如以"任你追兵万千，我自岿然不动"的心态应世，或更干脆些，"以逆为顺"，"舍身饲兵"……天性使然吧，我都难以做到；我只能以凡俗之躯，适应后有"追兵"、"前无绝路"的现实处境，小跑在我的人生之路上。

于北京绿叶居

# 鹦鹉前头不敢言

主子在奴才面前，说话难道还会顾忌吗？当然，一般情况下，他们不必顾忌，就是要避讳奴才，那也很简单，不管那奴才平时多么得宠，不想让其知情，轰出去就是了，比如王夫人在"惑奸谗"之后，忽然亲临凤姐住处，凤姐诧异，"不知为何事亲来，与平儿等忙迎出来。只见王夫人气色更变，只带一个贴己的小丫头走来，一语不发，走至里间坐下，凤姐忙奉茶，因陪笑问道：'太太今日高兴，到这里逛逛。'王夫人喝命：'平儿出去！'平儿见了这般，着慌不知怎么样了，忙应了一声，带着众小丫头一齐出去，在房门外站住，索性将房门掩了，自己坐在台矶上，所有的人，一个不许进去……"平儿是从王家带过来的通房大丫头，在荣府具有秘书长兼"凤办主任"的显赫地位，此前哪个主子何曾如此对待过她？但王夫人这天盛怒之下，不解释，无过渡，不废话，无间歇，一声断喝，平儿立刻滚蛋；平儿到底是优秀奴才，她不但带领众小丫头迅即滚出，而且自觉担负起了"一级战备"的戒严任务。

另一种情况，是主子毫无顾忌，这往往更体现出主子不把奴才当人，比如宁府贾敬吞金丹暴亡后，贾蓉在铁槛寺"至棺前稽颡泣血"，表演了一场"直哭到天亮喉咙都哑了方住"的"悲剧"，熬到终于可以下场，"骑马飞来至家"，立即演出了一场同尤二姐尤三姐两位姨娘调情的闹剧。尤二姐"顺手拿起一个熨斗，搂头就打，吓的贾蓉抱着头滚到怀里告饶，尤二姐便上来撕嘴……贾蓉忙笑着跪在炕上求饶……又和二姨抢砂仁吃，尤二姐嚼了一嘴渣子，吐了他一脸。贾蓉用舌头都舔着吃了。众丫头看不过，都笑说：'热孝在身上……到底是姨娘家……回来告诉爷，你吃不了兜着走。'贾蓉撇下他姨娘，便抱着丫头们亲嘴：'我的心肝，你说的是，咱们馋他两个。'丫头们忙推他，恨的骂：'短命鬼儿，你一般有老婆丫头，只和我们闹。知道的说是顽，不知道的人……谁不背地里嚼舌说咱们这边乱账。'贾蓉笑道：'各门各户，谁管谁的事，够使的了。从古自今，连汉朝和唐朝，人还说脏唐臭汉，何况咱们这宗人家……'……贾蓉只管信口开河胡言乱道……"主子之所以敢于如此放荡无忌，那是因为此时此刻并不涉及政治经济秘密，普府之地，莫非贾土，府墙之内，莫非贾奴，所以丫头就是"看不过"，也只能是"笑说"着奉献劝词，被猥亵了，心里在恨，嘴里也只能说："知道的说是顽……"贾蓉那真是达于"无差别境界"，极度放纵，也极度松弛。

但是，主子也有顾忌奴才的时候，那倒并不是顾忌奴才本身，而是因为在有的情况下，事关重大，必须保密，却又不能显露出有秘密存在，因而只好暂时容忍奴才的存在，或以隐语黑话交谈，或以淡话闲话掩饰。唐代诗人朱庆余《宫词》云："寂寂花时闭院门，美人相并立琼轩；含情欲说宫中事，鹦鹉前头不敢言。"为什么怕鹦鹉？因为鹦鹉会学舌，即使并非恶意，也很可能会导致"祸从口出"而掉脑袋。贾府的主子几乎无时不刻不在奴才的围随中，如果事情只关乎他们自身间的矛盾，那么，像上述那两种或断喝赶出或全无所谓，都是俯拾即可一用的办法。但贾府之上，有皇帝，如果事关他们与皇室之间的复杂"猫腻"，比如说他们在表面完全忠于皇帝的同时，还暗中同其政敌——觊觎皇位的宗室秘密联络，乃至帮其藏匿了什么，以为一种潜伏的政治投资，希图在一旦宝座易主的突变后，不仅不至于失宠而没落，反会捞到更多的实惠，那么，他们除了搞些极诡秘的名堂，不让奴才与闻外，大多数情况下，还是只能采取"鹦鹉前头不敢言"的方式，以防万一。

《红楼梦》第十四回，写到不自量力的璜大奶奶偃旗息鼓而去之后，贾珍同尤氏"且说媳妇这病"，贾珍忍不住将张友士到京要来见秦可卿的事说出，我在《张友士到底有什么事？》一文中分析了，书中回目称"张太医"，而内文中却明白写道：张"有事"并非太医，而是从外地跑到京城，打着"给他儿子来捐官"的旗号频繁活动的蹊跷人物（他"今日拜了一天客……精神实在不能支持"）。贾珍同尤氏的这段对话，尚未说透便改了话题，为什么？以前我总不大理解，现在一细想，啊，明白了，因为这时候旁边必有奴才，此中天机，不可泄露，"鹦鹉前头不敢言"也。

第十一回写凤姐儿去看秦可卿，这态势就更明显了，凤姐儿和宝玉跟着贾蓉到了秦氏房中，贾蓉便叫："快倒茶来，婶子和二叔在上房还没喝茶呢。"这当然是有意将房中的奴才支开——因为如果他没这一吆喝，那房中的奴才也许不一定去倒茶，因为这是病室，一般来说，在病室中请人喝茶是不适宜的；奴才离去，凤姐不仅"劝解了秦氏一番"，而且"又低低的说了许多衷肠的话儿"，这时，所回避的"鹦鹉"不只是随时可能端茶来的奴才，也还包括了那瞅着《海棠春睡图》出神的贾宝玉，及至"尤氏打发人请了两三遍"，奴才们又围绕四周，凤姐儿才又恢复原有声量说话，不过她和秦氏都用的隐语黑话，她们都心照不宣，那张"有事"带来的信息惊心动魄——共同寄以厚望的秦氏真实出身的那个宗室利益集团，只剩下最后"四五个月的工夫"来一决雌雄，第二年的春天，必见分晓，然而是凶多吉少！

秦氏死后，丫环瑞珠"触柱而亡"，小丫环宝珠则"甘心愿为义女"，"哀哀欲绝"，"摔丧驾灵"到了铁槛寺后，竟"执意不肯回家"——我想这咄咄怪事，其实谜底也很简单：她们一定无意中撞见了什么，听见了什么，自知在主人心目中，即使不被判定为探子叛徒，也一定会视为鹦鹉，如果真是鹦鹉，那恐怕只有被杀的份儿，好在她们是人，总算多少有一点主动性，所以一位采取了与其被杀不如自杀的手段保住了自己的尊严，一位采取了牺牲尊严的手段保住了自己的小命。

越琢磨《红楼梦》里的这些细节，越惊叹曹公用笔之细之深之妙之美！化入这部奇书中的诗意理趣，又岂止仅是"鹦鹉前头不敢言"哩！

于绿叶居

# 你的情趣分

我哥哥已年届花甲，却仍保留着一张中学时代的成绩单，那成绩单上有一项分数，打的是"情趣分"，颇令我生奇。哥哥那时上的中学，是一所抗日战争期间由著名进步人士主政的名牌学校，因此"情趣分"的设置，至少无政治上反动的"导向"用意，是否系"资产阶级教育思想"的一种体现？过去或许会作十分肯定的回答，如今却不免要问：难道无产阶级就没有情趣？难道无产阶级教育后代，就不希望他们除了德、智、体而外，在情趣上亦达到相当的档次？当然我们现在并不一定要给学生评定一项"情趣分"，但教师除自己应具有情趣外，亦应注意引导学生有情趣。就是已经离开学校的人，已经步入生活甚至干起大事业的人，有情趣也比无情趣强啊！

何谓情趣？据哥哥说，当时他们一位班主任老师曾让他们班上同学围着校园中的一棵大枫树跑跳游嬉，要求每一位同学问"枫树公公"一个问题，有的就问："枫树公公，你为什么一到秋天就害羞？"有的则问："枫树公公，你为什么跳舞只用手不用脚？"哥哥问的则是："枫树公公，你为什么戴顶小帽子？""小帽子"指的是树上的鸟窠。据说老师就根据学生们的这一类表现，在成绩单上给列出一个"情趣分"来。哥哥保留迄今的那张成绩单上，"情趣"只得78分而已，但他说至少于他个人而言，老师对提升他情趣所作出的努力令他永远难忘，并享受终生。

我想，情趣，大约主要指的是一个人在生活中所表现出来的想象力、幽默感、乐观精神、感染他人的能力……其中特别重要的，是一种纯朴的稚子之心。情趣也许是一种难以定义的精神素质，却又是一种不难意会的人格因子。对于你经常接触的人，你不难在心目中把他们划分为"有情趣"和"没情趣"两大类，而"有情趣"的一类如细想，还可给他们分别打上高低不同的分数。有位年轻朋友就跟我议论过：他头一回去的那个公司，总经理是个毫无情趣可言的人，比如有一回他把办公室窗台上一盆盛开的蟹爪兰指给总经理看，并说："你看多像一顶火红的王冠啊！"总经理虽说也看了几眼，却一副木然的表情，末后只是刻板地布置工作。而现在他们在的那个公司，总经理长相比头一个差多了，但该人极有情趣，出语幽默，甚而有一回当众展示自己新置的一套名牌西装时笑问："是不是有点沐猴而冠的味道？"他的坦然自嘲不但没有"丢份"，雇员们心中给他打的"情趣分"反倒高了，及至他正颜厉色批评下属的疏漏时，人们便格外膺服。

冷眼旁观领受消化别人的情趣，比较容易，自己有无情趣，如有情趣，可打多少分？判断起来，反倒不那么容易了。有无情趣固然并非人生的首需，但有情趣总比无情趣好，情趣盎然总比情趣索然好。有人把情趣称为"人生小乐趣"、"琐屑的人生乐趣"，似乎可有可无、微不足道。我却以为切莫小看了"人生的琐屑小乐趣"，无论是假日举家去了公园偏寻觅一个别人少往的小角落铺上大塑料布一边猜谜一边野餐，还是工余耐心地用废易拉罐制作出一些自我欣赏的小工艺品，都是生命的自我积极消费，莫以小乐而轻舍啊！

# 善　感

不说多愁，只说善感。

经过了太多严格严谨的推理和严肃严峻的内省后，我真害怕自己失去了细微的感受能力。

我还能为那一类的小事心湖漾起环环涟漪吗？

……在运送废纸去收废品的老头那儿时，绳索断掉了，废纸撒落一地，一个发黄的作业本展开在脚下——那是儿子上小学时的算术习题本，稚气的笔触，橡皮的擦痕，老师匆促中划出的对钩和叉子，还有……还有我焦躁地辅导他的往日情景，以及妻因我拍打儿子后脑勺而埋怨我的音容，仿佛也都倏地闪现我眼前……于是我蹲下，拾起那发脆的小本，掸去灰尘，为自己究竟还要不要卖掉它而发呆……

……大扫除时，从床下清出了一个粘满灰丝的小药瓶，那是哪次病中不知不觉让它滚到床下的？为什么一旦被认为无用，便连刻意地抛弃的待遇也不能享用？由物及人，及世事，及芸芸众生的歌哭荣枯，不禁怆然……

……路过那条胡同，那个脱漆的院门，望一眼那瓦顶下的小窗——仿佛轻闭眼帘长垂睫毛的秀目，想起那年门边贴着大红的双喜字，鞭炮震天价响，胡同里停了一串档次并不高的汽车——一辆小轿车，然后是若干"小面包"，最后是一辆客货两用的小斗车……许多的孩子在那门口嬉闹……那一对夫妇，想必都还健在，他们仍是一对么？该早已一加一等于三了吧？难道竟作了减法么？……院内忽然传来吵骂声，啊，正常的、亲切的、充满生之活力的如歌的叫板……走过去了，过去了……胡同里的灰尘啊，你的气息，弥散在我的心灵，难道该将你拂去？……

……清早翻动台历，发现厂家多放了一张，一个已经过去的日子，居然又赫然地重现——一阵莫名的欣喜涌上心头，感谢那大意的配页工，虽然时间的量度被世人刻板地统一限定，这纸片上多余的日子并不能真正被世人承认，然而，我只当自己的生命因这偶然的因素而幸运地延长……这样的小小偶然，人的一生中，能有很多次吗？

……瓶中的玫瑰，艳粉的玫瑰，终于到了谢落的时候，那头几个花瓣是何时坠落的，不知道，也未曾想知道，但写作时偶一抬眼，恰清清楚楚地看到那一片只有边缘焦枯而瓣膛仍很肥润的花瓣，极其地恋恋不舍，却又无可奈何地飘落到了桌面上——"触目惊心"这四个写了无数次的字，一刹那间仿佛具有了前所未有的无尽滋味……那花瓣是幸耶？不幸耶？——一个生命最好是在他人不知不觉中陨落，还是最好在他人注视中徐徐闭幕？……

不必多愁，但一定要善感。是的，我心上的茧子是必要的甲胄，它使我冷静、坚毅，是我成熟的徽记，但人生不能总用战场比喻，最刚强的恰恰就是最柔韧的。事业、荣誉、金钱、激情、正义感、形而上……它们对个体生命的宰制，往往不留下其余的充裕空间，那就不仅是一种遗憾，而很可能构成某些美丽的罪衍！

愿因细微的事物而生的小感动，永是那么饱满，那么滋润，直到生命的谢幕时分。

# 无处存放(外二章)

常常这样：一段心事，萦回不去，却终于无处存放。

毋庸他人劝解，自己也会说：何不将它拂去？难道在这个世界上，真有值得人永远系念的事情？

试过，拂过——甚至于重重地涂擦过，但结果更糟糕：那些变形的影像更如磨锐的砺石，在心上蹭出条条鼓出的血痕，丝丝隐痛，时剧时缓，却并不訇然喷红，也无望平复。

何不将其"埋藏于心灵深处"？甚至于不是"埋藏"而是"埋葬"？至少本世纪以来，"心灵深处"就是一个不断被文人雅士们奢侈不吝的语汇，我也涂写了不知多少遍，然而现在要问：如果我有属于自己的心灵，那么，这心灵究竟有多深？它的"深处"在哪里？是"云深不知处"般充满诗意地深，还是"深不见底"般地混沌狰狞？

静夜自思，不禁惊悚：也许我的心灵是深的吧，但我找不到它的深处，至少我目前所见，就只是一些坑坑洼洼的浅谷，那些可以积蓄事物的空间，似乎都在昏暗中闪烁着荧光，争先恐后地向我发射着"客满"的讯号——我那一段提起来的心事，寻不到存放的空间！

但我那一段心事，是从哪里提起来的呢？不是从心灵的深处吗？可见我的心灵，是有足以容纳最纯正最艳美最沉重最神圣的心事的深度的——然而我现在失却了通往它的路径，看不到它的门扇，并且就是逼近了它的门边，我也找不到开锁的钥匙！

后悔提起了这段心事么？是无意中提起的——不，不能这样说，是良知，残存的良知；赞成批判良知，赞成扫荡良知，良知误我，非止一日。但现在是提起来了，却无处存放；人生最悲苦的，莫过于此！

这心事成了孤儿，浇漓的世风中，何处是他遮风避雨的归宿？

无处存放，却坚不抛弃。无论我的心灵变得多么孱弱，没有幽深的内室存放，紧紧地怀抱着，也甘心。

## 铺开信纸

铺开信纸，却没有写信。

因为觉得该写，有许多许多的话可说，所以终于铺开了信纸。

但铺开信纸以后，却不能下笔。

不，不是"不知从何写起"，可以有许许多多的起法，每一种都涌上心头，随笔一拎，便成开篇，却忽然兴味索然。

所谓友情，一时间如烟如雾如梦如影，不是信任危机，不怪世事沧桑，只是忽然心冷。

又是一种"世纪末情绪"？

也许。

个体生存变得越来不依赖于他人和群体了吗？或者更精确一点地表述：变得依赖度越来越小了吗？

人与人之间的交往从表面看是半径越来越长圆周的抖动度越来越剧烈了，但那接触的紧密度深入度却大不如人际单纯的时代了。

非功利的友情，或非功能性的信件，成为这世纪末人们的奢侈品了。时间变得越来越金贵，感情却变得越滞销。无论在哪里，人都面临越来越紧迫的自我保障问题。

铺开信纸，没有写信，因为没有消息——他知道的消息，也许倒比我多；

铺开信纸，没有写信，因为没有嘱托——而自己也无力招揽他人的嘱托；

铺开信纸，没有写信，因为没有想议论的——过去议论得太多，思想经不住透支。而且确实无可议论。这是一个行为至上的时代，也许电话电传是行为的忠仆，信却往往妨碍行为的快捷与冷静；

铺开信纸，却没有写信，因为即使他渴望着感情的赠与，我却突然意识到自我感情的枯涸……

到头来铭心刻骨地意识到，信是感情的载体。

我还有残潴的感情，所以我铺开信纸；

我铺纸时的温热迅即冷却，我没有写信。

为自己仍能铺开信纸而宽慰；

并，不为终于还是没有写信而惭愧。


## 祈祷无辞

病中，接到一束朋友托人送来的鲜花，花的透明包装纸上别着一张淡蓝色的卡片，上面写着："默默地为你祈祷……"

把那束粉红鹅黄海蓝交错的康乃馨插进花瓶以后，我久久地凝望着窗外的天空，不禁坠入悬想：默默祈祷，祈祷什么呢？

当然，他是希望我早日康复，但那只是祈祷的目的，而不是祈祷的对象——祈祷总要面对一个有最终决定权的超人符号。我知道我这位朋友同我一样，其实并无宗教信仰，所以他的祈祷，很可能是无对象的，或对象模糊的，或对象混杂的。他把祈祷与祝愿等同了，但他宁愿说为我祈祷，不想说为我祝愿。

朋友的这种语言习惯，并不特殊。很早我们就习惯所谓"去见马克思"的说法，那显然是对宗教语言的套用，与"去见上帝""去见佛祖"相对应。但马克思主义是一种最彻底的无神论，自称马克思主义者而又认为死亡是"去见马克思"或"去马克思那里报到"，如果是幽默也罢，但我就认识那说这话极认真的老人，听到他一再地这样说，满脸皱纹肃穆地抖动，心中滋味真难形容。

不过细想起来，还是很羡慕那认真地准备着"去见马克思"的老人，因为他的思绪中，究竟还有几分超凡的向往。而我所受到的无神论教育，是严厉而彻底的，我所置身的文化背景，又本无执著的宗教熏陶。所以，且不说我死去自知无处可去报到，就是现在，比如烦闷的病中，我对祛病的期望，除了医生和药品之外，实在不知该祈祷哪一位上苍。

祈祷，是焦渴的灵魂的本能需求，我，不止我一个，却往往祈祷无辞——我们有祈祷的内容，却无祈祷的对象，而呼不出心目中坚信不移的祈祷对象，我们的心灵乐音，又如何从冥冥中得到回应？

不要说我们不该祈祷，更不要禁止祈祷——祈祷实际是无法禁止的，因为祈祷除了一个未灭的灵魂，再无须别的条件——只希望我们要么真的绝不祈祷而心安理得，要么就祈祷有辞而坚信不移。

……我的目光从外移回室内，移到那瓶中的康乃馨，一股柔情萦回在我心中。是的，作为一个典型的无宗教信仰的中国人，我还是紧紧抓住世俗的爱心尽情享用吧，上苍离我不仅太遥远，而且也太缥渺，至少等我病愈，再探索那超越世俗的玄奥吧！

1993.5.18 北京绿叶居

# 无妨忧郁

傍晚，从护城河边的黄刺梅灌木丛里，传来一阵阵幽咽的箫声……

我对一同散步的爱人说："是谁呀？他怎么这样忧郁……"

爱人不解："为什么一定要知道他是谁？"

是的，为什么要知道那么多？

我们缓缓顺着护城河漫步；护城河边有不少附近的居民在散步或坐在河边乘凉，河边小公园里有人拉着胡琴，有人随着琴音唱戏，唱腔颇为激昂；有孩子们追逐的嬉闹声，也有不知是哪位小伙子从河那边吼出一句："妹妹你大胆地往前走哇——"就这一句，戛然而止……但是我从那所有的音响里，只捕捉那一股断断续续的箫声，我忍不住还是对爱人说："他怎么啦？为什么这样忧郁？"

爱人停住脚，问我："忧郁怎么啦？不许吗？没有忧郁的权利吗？"

默然。

我们继续朝前走，我心里翻腾着酸辛的往事。

……那一天，领导忽然把我找去——在那以前我从未有过与他单独交谈的殊荣——他单刀直入地对我说："听到同志们一些反映，你总是很忧郁的样子，而且，你下班以后常常吹箫……"那位领导在那个历史时期能那样蔼然可亲地同我单独交谈，现在回想起来，已属不易。因为很快就爆发了"文化大革命"，那位领导被率先揪出，而揭发批判他的大字报上，便有"对封资修腐朽事物大加包庇"的一条罪行，所举出的例子中，有一个是：他在某次内部会议上说，有的人给别人一种忧郁的印象，还爱吹箫，虽然出身不好，有缺点，可是也还不能凭这一点，就给人家下结论……我看那大字报的心情，真是不堪回首，后来的种种，更不必剥揭疮疤……自那以后，我再不与箫发生关系，记得婚后也曾偶然提及："我也会几种乐器的啊，比如笛子、箫什么的……"爱人对我的这方面才能并无验证的兴致，我也就一直没有重操旧技……

黄刺梅灌木丛那边，箫声悠悠。

我忍不住对爱人发起议论来："人的性格，千差万别。有的人比较忧郁，那不过是他的一种性格气质罢了，并不一定是他有什么阴暗心理。而且，就算一个人与他人与群体有些不和谐，只要他不作妨碍他人的事，尽到对群体对社会的义务，那么，他忧郁就让他去忧郁好了，也许他会自然而然地改变那忧郁的性格，也许他就一直忧郁下去……而吹箫什么的，应该说是一桩很好的事，他把心内的忧郁化为了缕缕乐音，对自己，是一种化解，对他人，也提供一种可以欣赏的东西……"

爱人惊异地望着我，说："你这是在跟谁辩论呢？"

是的，难道在今天，一个人自顾自地忧郁，用吹箫来宣泄他个人的忧郁，还需要经过批准吗？还必须承载着某些来自身外的压力吗？

我和爱人渐渐远离了那大丛的黄刺梅，箫声丝丝缕缕地微弱下去，却似乎变得更清越，更柔韧，我想象那吹箫人，他虽忧郁，却忧郁得很从容，他吹箫也很自得。

晚风吹到面颊上，感到格外凉爽，我忽然有生以来头一回大大地超越了忧郁，心中漾着淡淡的然而清亮的怡然波环……

我默默地为那忧郁的吹箫人祝福。

# 苦笑不苦

只有高等动物才有丰富的面部表情，那面部匝肌的运动导致的表情中最明显的两大类是哭和笑，笑又有许多种，如狂笑、大笑、微笑、嗤笑、傻笑、暗笑、怪笑、奸笑、闷笑、甜笑、媚笑、假笑、恶笑、狞笑、浪笑、呆笑……以及抿嘴笑、捂嘴笑、含泪笑、破涕笑、烂漫笑、放纵笑、顿足笑、捧腹笑、喷饭笑、滚地笑、哑然失笑、拊掌大笑、忍俊不住、不禁齿冷、似笑非笑、皮笑肉不笑……大可创立一门专门研究人的笑表情的学问，养活一大群靠此成名成家的学者。

不过我这里只单拈出一种苦笑来品品。

我们不仅一定常看到别人脸上的苦笑，我们自己也一定苦笑过，从外部特征来分析，苦笑第一是无声，第二是面部表情匝肌的运作大体上是向下张弛，所以嘴角一般都下弯，单看腮嘴，实在很像是哭，"苦"的名称，由此而来，但因为同时眼眉却大体向上扬去，故又实在还是一种笑。从心理机制上分析，苦笑大体而言是对现实状况无可奈何的一种外化，仔细分解，则内含下列心理因素：一是对外界事物不合理不道德不像样不得体有清醒的认知，或对自身不成功不得已不得当处境不妙有坦然的承认；二是对改变外界和自身有潜在的责任感和行动的欲望；三是意识到客观因素的强大和自我能力的局限，压抑住自己的冲动，但并不放弃良知；四是从高层次和长远角度观照现实，没有丧失对高标准和美好前景的向往——所以归根到底还是汇为一个笑。

这样看来，苦笑不是一种坏笑，也不是一种浅层次的笑；心术不正的人，很少有苦笑这种表情，缺乏修养的颟顸之辈，脸上也罕有苦笑。

在某些情境中，人与人会相对苦笑，这一心灵交流基本是良性的——在这一笑中，对不合理不像样不道德不得体的人和事取得了心照不宣的批判性默契，也对共同的不妙处境有了相濡以沫的情怀；相对苦笑常可避免无谓的冲动，抑制鲁莽的举措，使冷静和理智占到上风，不能与人相对苦笑的人，大体可判断为性格孤僻之人，而有人陪着苦笑的人，一般来说，是性格柔和招人喜欢的人。

自我苦笑，其实是一种无声的自嘲，而自嘲是智者的生活润滑剂；如无苦笑的化解，那有可能过多地悲哀、焦躁、忧郁，以至常常哭泣。

蔬菜里有一种苦瓜，有的人对之避之不及，有的人却对之趋之若鹜，前者对后者很不理解，心想人怎么可以自找苦吃？但凡爱吃苦瓜的人，都会说苦瓜清炒出来的滋味吃到嘴里真是妙不可言，你要他形容，他会告诉你：其实是甜滋滋的！苦瓜不仅后味清醇，化苦为甜，而且有明显的消火解毒的药用价值，尤其酷暑期间，常吃苦瓜实为健身妙计。

苦笑对人的精神价值，可与苦瓜对人的健身价值相比拟。当然任何好东西食用过多也就化益为害了，嗜吃苦瓜太甚则成怪癖，无端地苦笑不止，那也就离精神病不远了。

总起来说，苦笑不苦，愿君在必要时能自然地现出一个苦笑。

## 棱角美与曲线美

男性的美感，是棱角美。首先男性的面部应有一定的棱角，如面团团的，则难称美男；面部中，男人的鼻子尤应有棱有角，最好鼻梁线条明晰，鼻翼不要太圆，两腮当然更须有折角而不要是一条弧线——不过折成九十度那就又难看了；男性的肩膀倒也不是越宽越帅，但男性削肩绝对是大忌；男性的阳刚美集中体现在胸部和臂部，胸部有没有"块儿"即胸肌是否发达至关重要，"排骨胸"或"搓衣板胸"的男人即使面庞还不错，也还是难免令人产生"林妹妹"之感，男人胳臂的肱二头肌、肱三头肌应突出，并随着运动而有收如钢铁放如韧胶的观感；男人的筋腱不怕凸出，而且运动中有铰链滑拉感更好；男人的手不应是软绵绵的，在握拳时尤应见棱见角。

我们在男子健美比赛中可以看到不止一个大体上符合上述标准的伟男，但他们的肌腱有可能让人觉得过分发达，因此不免有健而不美之叹。在影视男明星中，有以丑而引人注意的，有以柔润的面庞即"奶油"味儿为其特点的，也有"少年型"或称"弟弟型"的，以上几种在近年的中国影坛上出现得比较多，尤其是中性造型的丑星——许多观众从他们的憨厚随和、诙谐无忌的形象中生发出了与男性美无关的纯社会性审美愉悦。但银幕和荧屏上的正宗男性符号，还应是具有棱角美的成熟男性，他们的脸庞特别是五官不必那么端正，但他们伟岸的身躯发达的肌肉以及动作与语言（有时他们以冷面和寡言为其特征）中体现出的棱角感，却不仅能满足女观众潜意识中的欲望，也能调动起男观众潜意识中对自我性别的自豪感。像美国的史泰隆和施瓦辛格，香港人叫他们为"大只"，他们的脸庞都有比较明显的缺陷——前者面部得过神经麻痹症留下了痕迹，后者门牙间有不小的缝隙而并不去弥补，但仍为世界上许许多多的影迷们崇拜；再如法国的阿兰·德隆和贝尔蒙多，前者固然从面影到身躯都相当完美，特别是下巴上的那个凹陷的窝儿，增加了棱角，更富于男性的魅力，但也有人觉得他太媚，因此反给他扣分；后者面庞形象比前者差多了，一张大嘴巴尤其显得"破相"，但据说在法国更吸引女性的反而是他，因为他的棱角似乎更多也更具有刚性。日本的高仓健在中国的知名度极高，其实他外形上的棱角感是比较差的，他自己意识到了这一点，于是他以冷面和寡言的"内棱角"来弥补外形的不足；日本的另一位国际男星山船敏郎相对而言在体现男性棱角美上比他更充分，可惜一般中国观众对他不够熟悉。当然，我在这里举出的例子都有点"廉颇老矣"了，各国都有一些新的阳刚偶像出现，在中国观众的召唤下，属于我们民族的棱角型美男子也呼之欲出。

女性美则与男性美相反，不是体现在棱角上而是体现在曲线上，当代世人形成了一种共识：女性应有适度的三围，首先是至关重要的胸围，男性的胸肌越紧凑坚实越富帅劲，女性的乳房却应曲线圆满而富于弹性；男女的腰部都不宜粗大，但男性倜别的方面尚可，只是有"将军肚"的问题，还并不怎么破坏美感，女性就不然了，女性一定要有较苗条的腰肢，肥胖女性的减肥，重点即在缩腰，女性的腰不但不能粗肥，而且应明显，腰身先天不明显的女性，一定要从服装上想办法掩饰并最好营造出腰部曲线的效果，至于西洋人特别讲究的女性臀围，我们中国的当代女性似乎多数还缺乏自觉意识，中国的老少爷们也似乎不怎么在乎，最近中国各地都有名目繁多的"掩耳盗铃"式的选美活动，虽加以种种堂皇的包装，嵌入若干与西方选美有别的零碎细节，不过其主体是展示女性的三围，以曲线美（包括"内曲线"即柔媚的女性风度）决胜负，则是各方面都认可的。

近十多年随着西方"女权主义"的甚嚣尘上，女子健美运动首先在西方兴起，而且也选出了不少女子健美冠军，她们的玉照在中国出现的频率也颇高。从那照片上看，她们不仅臂膊和背腹肌肉的发达形态与男子健美运动员无异，那胸部也几乎与男人的"块儿"乱真，不知在中国有几多男人和女人能欣赏她们的那种形态，反正我看见不仅不觉得美，还禁不住反胃。我以为男女的人体美的最根本区别，也就是棱角美和曲线美的区别，而男女人体线条的区别集中体现在胸部——胸肌发达具有棱角感是男性阳刚的标志，而乳房凸出曲线饱满则是女性人体美最主要的魅力所在，怎么能提倡女性通过健美运动将乳房化为"块儿"呢？但愿那种使女性过分刚健而失去女性特色的趣味，不至于成为今后世界人体美审美标准的主流。

在这里大谈男人和女人的身体之美，想来读者诸君不至于感到骇怪。我们自身往往是缺乏充分的身体美的，尤其是身材方面，遗传基因给我们造成的"后果"是很难加以再造的，对于这既定的事实，我们除了欣然接受以外，别无化解的妙方。但我们积潴在潜意识中的这种不满足，可以从合法地适度的欣赏他人的美体上，得到相当的心理补偿，而银幕上荧屏上广告上画报上乃至于挂历上的种种美人儿，特别是可以现场直接观赏到的如时装模特儿的表演、健美比赛和选美活动，都是社会所提供的合法欣赏人体美的渠道，我们完全可以坦然地在这种欣赏中，完善我们生而为人的一份隐秘的自豪。当然，越过了社会规范的樊篱，去窥视他人的身体，那就不仅有悖道德，而且还有可能触犯刑律——那就是另外的问题了。

我认识一个小伙子，他的职业很一般，金钱上颇淡然，平日穿着很随便，常常就只是一件素白的圆领衫，一条普通的洗水裤，一双黑布塑料底的傻鞋，推一个寸头，我开头也没怎么在意他，有一回他到我家来，我问他："好些日子没见，干什么啦？"他答曰："塑造我自己啦！"我也以为不过是一句淡话，后来他又来，我只觉得他给了我一种说不出来的新感觉，按说他那身打扮没什么变化呀……他笑了，自豪地告诉我："其实每个人都可以成为罗丹——把自己从里到外雕刻成一个《思想者》……您看！"说着他脱下圆领衫，那练出的一身棱角分明的紧凑肌肉特别是凸出的大胸肌让我眼睛一亮，接着他摆出一个《思想者》的姿势，使我佩服不已，我想我要是年轻三十岁，我说什么也要像他那样雕刻自己。人生的乐趣，首先应落实在自己的体魄上啊！

# 什么都吃

## 1

西方文化是"性文化"，中国文化是"吃文化"——这说法有道理么？

多少有那么一点道理吧！

且不去说西方，且说咱们中国。

且说我自己吧——我今年在《中国青年报》的周六"生活特刊"上辟了一个专栏，栏名叫就"品味生活"；"品"是三张嘴，而且要嚼出味道——连"生活"也要吃，还有什么不能吃不敢吃的？

但"品味生活"并非什么新鲜语汇，没什么人视为奇特。

## 2

我们把生活里接触的人大体上分为两类，一类是生人，一类是熟人。

生人，因为不熟，所以，我们往往"不吃他那一套"，他也对我们"软硬不吃"；熟人，因为熟了，所以我们有信心消化他，他也乐于容纳我们。

"熟人好办事"，我们中国的传统菜肴中很少生鱼片那类的东西，我们总是要把生的东西弄得烂熟才觉得好对付，一样菜如果"做生"了，那属于烹调中的败笔。

"一回生，二回熟嘛！"我们期待着互相视作熟人，彼此都熟，那就不仅"好说"，而且相处"有味儿",不至于"中看不中吃"。

"熟人"相见,分外"眼青"——在备受青睐之时,也就相互要"吃"了!

## 3

遇见难对付的事,我们常慨叹:"真吃不消!"

棋牌赛中我们赢了对方的棋子或牌,很少说:"我赢了你这个!"或"我取消了你这个!"一般总是说:"我吃了!"

费力时,我们说"吃力";

受惊时,我们说"吃惊";

受损失时,我们说"吃亏";

依赖原有功劳,我们说"吃老本";

爱让人表扬,我们说"吃捧";

挨了批评,有时我们说成"吃了批评";

受重视,我们称之为"吃香",受冷落则叫做"不吃香"或"吃瘪";

混得好,我们称之为"吃得开",混得不好自然就是"吃不开";

挨了骂不敢还嘴,我们就说是"吃骂";

形势不好,我们说是"吃紧";

打了败仗,我们常说成"吃了败仗";

被刀砍我们说是"吃一刀",被箭射我们说是"吃一箭",被枪击我们说是"吃一枪"或"吃黑枣儿"或说是"饮弹";

足球场上运动员犯了规,裁判给了他警告或罚他下场,我们中国人说是"吃了一张黄牌"或"吃了红牌";

工厂定货量不够,我们说是"吃不饱";

对问题心中无数,我们说是"吃不准";

卷入了诉讼,我们说是"吃官司";

当中间人拿佣金,我们说是"吃回扣";

男女情爱里生出嫉妒,我们说是"吃醋";

女子长得漂亮,那麻烦了,我们不说"秀色可赏",而说"秀色可餐";

想占有一样并非食物的东西,我们也说是"垂涎三尺";

肯定一样并非食物的东西,比如文章、节目、绘画……我们也说"很有嚼头";

有技术,生存能力强,我们说是"一招鲜,吃遍天";

吸取教训,我们说是"吃一堑,长一智"——细想这话最怪:"堑"怎么个吃法呢?

## 4

会吃是中国人美德,不会吃则被人看不起,甚至构成奚落或骂人的话语,如:

"吃饱了撑的!"

"别含着骨头露着肉的!"

"别贪多嚼不烂!"

"吃了枪药了吗?"

"吃了豹子胆还是怎么的?"

"才吃了几碗干饭!"

"让你吃不了兜着走!"

"别想一口吃成个大胖子!"

"你这吃里扒外的家伙!"

"什么腥的臭的你都叼!"

"狗改不了吃屎!"

## 5

中国的批评家都是大吃家,一千四百多年前的那位钟嵘写的《诗品》,就开创了用三张嘴吃作品和作家的先河,所谓批评其实就是"品味",他们动不动就说什么作品"有味道"、"品味高",要么就说"没味道",或"味道"不够"醇厚","淡而无味"、"品味低"或简直"乏味";他们总喜欢作品"有血有肉",喜欢"成熟",赞赏"独特的风味"，而且最好是让他们"品"完了还能"余味无穷"，可供他们"回味"。在中国批评家的评论文章中，几乎不可避免地要出现许多与吃有关的语汇，即使是有严重胃病的批评家，亦难免俗，难怪有的作家一想到批评家，眼前便现出一排白厉厉的牙齿来！

## 6

中国人常说：不要因噎废食，我这小文让你噎了几下么？不要理我，请照吃不误！

# 沉默交流

我的瑞典朋友倪尔思告诉我，他出生在瑞典北方，那里有奇险的山崖、葱翳的森林、湍急的溪流；冬日大雪纷飞，银装素裹，昼短夜长，家里木屋烛台高燃、灶孔殷红；他童年的记忆里，烙印最深的，是夏日父亲带他去山林里打猎，打到野雉后，父亲和他坐在山溪边，以及冬日他靠在父亲腿膝上，面对着闪动的光焰，父亲始终没有一句话，只是默默抽着大烟斗，父子二人就那么久久地在沉默中享受着天伦之乐……

倪尔思至今忆起当年情景，还心动神摇；他说他完全不记得父亲说话的声音，然而父子心灵的无言交流，却一生一世回味不尽。

我对父亲的追忆，与他很不相同，我们父子间常常娓娓谈心，想起父亲，随着面容的浮现，便有许多的话语响在心里；但我的人生途程中，也有沉默交流的体验，那确是别有一种厚味。

我有一个朋友，多年在广播电台工作，是一位编导学龄前节目的专家，给好几代小朋友带去过欢乐，但个人却始终没有过子女；他的性格，连他自己也承认，是比较孤僻乃至古怪的；由于一次幼儿广播剧的合作，我们相识，也许是因为我性格同样有些各色，一来二去的，我们成了好朋友；当然我们曾有过共鸣的欢谈，可不知怎么的，自从经历了"文化大革命"以后，我们见面时往往基本上并不说什么，就是两个人默默对坐，一坐居然可以坐很久，虽然我们不说话，但都感到那一段时间里精神上很充实，很快乐；分离时我们并不惆怅，分离后也未必有多少想念，我们相互的问候也常常并不是在节期；但不知是一种什么因素，我会忽然想起，该找找他了，他也会突然给我来一个电话，约一个见面的时间；我们好久不见，自然互相问问，聊上一会儿，但我们待在一起，大部分时间却只是默默相对；我们在心里总是惊喜地发现，尽管在我们没见面的那段时间里，世事纷纭，人情诡谲，我和他，他和我，却谁也没有变；相对而言，我这些年的境况起伏较大，我跃升时，不见他为我高兴，他也绝不"高而远之"，当我惹是生非、下台赋闲时，他亦既无慰辞，更无规箴，仍像以往一样，忽然想起看我，摇摇摆摆而来，大大咧咧一坐，说些事先没有准备的话，听些我的牢骚或自嘲，微笑着，便沉默下来，直到他想走而我也想散——怪的是我们的心理节奏总那么默契。

我成家以后，曾担心我们的这种友谊不被爱人理解，嘿，谁知我爱人偏也有一位女友，是她初中同班同学，她俩见了面，竟也是没多少话说，默默对坐，可以许久。

我和爱人，各自都有若干见面就聊个没完的朋友，但那默默相对的挚友，是我们绝不能失去的、至为宝贵的。我和爱人互问：默默相对，乐趣何在？我说，有一种安全感；爱人先是摇头耸肩，不以为然，想了想，却憬悟地点头。

是的，在这茫茫人世上，存心要害你的人必不会多，但在沧桑变化之中，你的交友必不能都与你浮沉与共，他们实在也无此义务，而天然享有弃你他去的权利，且不去说那些落井下石的人——也必不至于很多，只说那些听了你许多的心声、知悉你若干的隐情，而一旦弃你而去后，便可以任意将其消费的旧友，你回首往事时，能不黯然神伤么？

而以沉默相对的朋友，他付与你的，是一颗完整的心，你回报他的，必是一腔诚挚的情；在语言之外，人与人达到理解和认同，那真是一种清明澄澈的境界！

不过，企图用语言来描述和阐释人与人之间的沉默交流，实在有点颠顸；我的瑞典朋友倪尔思本想把他童年坐在父亲身边的心灵体验跟我形容得更详细些，却越说越感到力不从心，于是便双手使劲一挥，用地道的北京话结束说："反正，特滋润！"

是的，特滋润。

我和倪尔思各握一只玻璃酒杯，小口小口啜着威士忌，一时沉默无语；我们的友情，能进入那样的境界吗？

1993 年 2 月 14 日

于北京绿叶居

# 此愿或可偿

郑州虽是河南的省会,但在一般外省人的心目中,却远不如非省会的洛阳或开封那样有吸引力。

确实,一提起洛阳,人们便不难马上想到龙门石窟,想到牡丹花;一提起开封,也不难马上想到龙亭,想到铁塔;当然,或许如今常看电视的人会记住那一则关于郑州的广告:"中原大地哪里去?郑州亚细亚!""亚细亚"我去过,是一家民营的大百货公司,货物琳琅满目,服务堪称上乘,但"亚细亚"究竟还不是一处名胜,要问郑州有什么风景名胜,那就还得说是邙山的黄河风景游览区。

名胜往往有赖于古迹,没有古迹的名胜,必须风景绝佳,才能吸引游客。黄河风景游览区开辟已有十多年,绿化得不错,也建了些亭台楼阁,还树起了象征黄河母亲的"哺育"巨塑和大禹的雕像,此外还购进了一艘气垫船,可以载客顺黄河遨游一段,在河中滩地上停留一阵后再风驰电掣地返回,加上一些别的节目,应当说还是颇值一游的。但若论魅力,那么,对不起,至少就目前状况而言,还谈不到,相比而言,现在若想在河南境内领略黄河风采,那就还是去三门峡为好。

黄河游览区的开辟,王仁民是筚路蓝缕的创业者,功不可没。如今他已退居二线,但雄心愈奇。他因痛感郑州至今仍无巨大的吸引力,黄河游览区照常规继续开发也未必能引得世人瞩目,因而发愤要将游览区内面河的一座山峦,整个雕塑成炎黄二帝的头像,以使中原有此民族的巨大徽号,振奋国人,也引万方来仪。

见到身躯高大、年逾花甲而精神旺健的王仁民,我们仅问了一句,他便滔滔不绝犹如瀑布奔泻般讲起他那誓塑炎黄二帝巨像的追求来。坦率地说，他那一句接一句几无停顿间歇不容听者再插嘴的倾诉态势，令人颇觉神经质，但耐心细听他的宣谕，便不禁为他的执著与顽强而感动。

为实现这一愿望，他组建了炎黄二帝巨塑筹建委员会、中华炎黄文化研究会等机构，请来中央的大人物挂衔主事，又多方募求赞助捐赠，还提出了一个长长的囊括各界人物的委员名单，以壮声势；巨塑的小样也请了几位专家有了好几稿，一些报刊已对此有所宣传颇具影响，并且也有一些海外侨胞或华裔外国人深表赞赏，或来函助威，或解囊集资，应当说事情正在轰轰烈烈、扎扎实实地朝前推进。

但完成这样巨大的头像，无论是采用岩雕的方式还是水泥浇塑的方式抑或是别的什么方式，所需的资金都非一个七位数即可告成，然而时至今日，王仁民所募集到的建像专款总计还只有数百万元人民币而已。

钱是一个方面，更大的问题是关于他那立意的争论。王仁民认为，炎黄二帝的巨像可以成为整个中华民族的象征。但炎帝是被黄帝打败的。现在把胜者和败者塑作一处，仿佛战友，是否滑稽？而且当时黄帝不仅打败了炎帝，还打败并杀死了蚩尤。倘若说无论胜败都是中国民族的祖先，那为什么现在只塑炎黄二帝之像而不塑炎黄蚩尤三帝之像？特别是传说后来蚩尤所属的部落从中原流落到了西南一带，现在的彝族便是其后代之一支，如仅以炎黄二帝的巨像作为中华民族象征，合适吗？再进一步追究，则传说中华大地上的远古帝王应是三皇和五帝，而"三皇"有七种说法，"五帝"有四种说法，如欲为中华民族鼻祖塑像，岂是仅塑一炎帝和黄帝像便能概括得了的？

王仁民的灵感，或许来源于美国？他曾到美国访问过，想必去过位于南达科他州西南部皮拉德城附近的拉什莫尔峰，那里有雕在 6000 英尺高的花岗岩上的 4 位美国总统像，他们是华盛顿、杰斐逊、西奥多·罗斯福和林肯，像高 18 米，相当于六层楼，从很远的公路上便可以望见，构成雄奇瑰丽的景观，而且因为每位总统的巨像都雕得表情严肃冷峻，因而令人望之顿生敬畏，那一组雕像确成为美国人寄托爱国主义情绪和仰慕尊崇先贤的一种象征。我们中华民族历史如此悠久，从中原辐射出去的民族生命力是那么样地坚韧顽强，在黄河之滨为中华民族的祖宗树大碑立巨像，不是比美国人在拉什莫尔峰上雕他们的总统，更有必要也更见魅力吗？

对于王仁民的追求，我能够理解但只抱有限度的支持态度，我觉得炎黄二帝的巨塑如能搞成很好，但不必过分追求那塑像的政治性符号价值，非把炎黄二帝当做涵盖中华各民族的始祖象征，确实牵强；而且现在所设计的塑像也确实太巨，因而所需的资金数字也太高；以我们看到的基本定稿的塑像小样而论，炎黄二帝都呈长须老人状，似非佳构——反正炎黄二帝都本非信史中人物，为何要拘谨地塑为"夫子"型呢？何不以两个充满青春活力的面影唤起游客们的审美愉悦？又何必非把那两个面影死指为炎帝和黄帝，在解释中何不将蚩尤也包括进去，把所塑的巨像当做黄河流域中原大地各民族始祖的泛指符号，比如说称为"黄河祖先像"？或干脆塑成一伟丈和一慈母的双人像，不更圆通谐和？

我的这些意见和建议，恐怕都难以被王仁民接受采纳。事情总是做起来难而议起来倒很容易。王仁民毕竟了不起，因为他是全身心地在做一桩好事。他的追求，或能如愿以偿。若干年后，再去郑州黄河游览区，仰望那建成的巨大雕像时，我的心经受了剧烈的震撼后，一定会有许多与现在不同的思绪升腾，那时的文章，还能如今天这般冷静么？

1992 年春

# 松本清张与《九猫图》

日本推理小说家松本清张前些时谢世，几乎全世界各大报都发了消息，中国许多报纸也都刊登了一条新华社的电讯。按说推理小说属通俗文学范畴，这方面的成就即使很大，似乎也远不到作家一逝即构成国际要闻之一的地步。但松本清张却并非一般"侦探故事"编撰者可比，即从他那两部改编成电影且在中国上映过因而给许多中国人留下深刻印象的作品《砂器》、《雾之旗》而论，故事架构虽是一种推理的悬念消解过程，却充溢着饱满的人生之叹和严肃的社会批判意义，在人性挖掘上尤具深意，艺术性也高，所以松本清张在日本乃至世界被视为一流的大作家，是名至实归，而非侥幸。

我 11 年前有幸到日本东京松本先生府上拜望他，进到他那豪华的庭院和客厅时我不禁吃了一惊，我没想到他靠写书的版税收入能够富裕到那样的程度，而其布置摆设上又讲究雅致到那样的地步，当时就暗自嘀咕——事先准备好的那件礼物还拿不拿得出手？乃至走拢松本先生面前抬眼一望我就更吃了一惊——绝非不敬，而是实话实说：怎么是相貌如此丑陋的一位老人！别处不形容了，单说他那肥厚的下嘴唇，足足比嘴唇突伸出有一寸多长！寒暄之中，脸上毫无笑意，而且寡言少语。原有的仰慕之心，不禁淡薄了许多。

但经文艺春秋社的陪同者和翻译林美由子小姐的从中架桥，松本清张和我也终于有一些沟通。品过茶后，他便让助手取来自己的著作《日本的黑雾》和《眩人》，当场用墨笔题上赠与我的字样，又认真地钤上印鉴，以供我留念；我道谢后，便取出准备好的一幅横轴国画《九猫图》，献给了他。

当年出国，公家只给很少的礼品费，自己置备了一些小工艺品外，就准备不出什么贵重的礼品，当然作家之间交往无需重礼，但必须雅气，送国画自属雅人雅事，不过名家的画我既无面子求亦无财力买，便只能求助于酷爱画猫的一位朋友，《九猫图》确是他的认真之作，画面上是九只品种、形态各异的猫咪，正嬉戏于若干玩具之间，或娇憨，或放肆，或略带羞涩，或公然相争，画成后他自己装裱成了一个大约1米长40厘米宽的横轴。

林美由子小姐帮我展开了那《九猫图》，请松本先生观览，他戴上老花镜认真地鉴赏，问了句什么，由子小姐译过来，是问作画的是位什么画家。本来我想吹嘘一下，说是北京城里数得上的画猫名家，后来不知怎么的良心发现，觉得还是实话实说的好："现在他还只是个业余画家，还不出名，只是一心一意地画猫，还打算画个《百猫图》。"由子小姐译了过去，松本先生仍只是仔细地看，不见笑容，终于看够，说了两句什么，由子小姐译给我，原来是："我很喜欢，谢谢！"

我本以为那只是松本先生的客气话，后来却只见松本先生叽里咕噜地向助手说了一番什么，我在一边悄悄问由子小姐，她告诉我，松本先生是嘱咐助手明天就把那《九猫图》好生悬挂到小客厅里，而那小客厅里已经悬挂出的，全是日本和西洋的名家杰作。由此我才知道松本先生真是不计背景只凭直觉进入到审美的境界，心中便很为我那当时只是一个仓库管理员的画猫朋友而高兴。

那一年松本先生已经71岁。他直到中年以前都处在社会的中下层，直到40多岁才从一篇小说入选文艺春秋社的芥川龙之介文学奖，后来又才以《点与线》等推理小说造成轰动，逐渐称雄日本文学的推理小说领域，进而成为世界闻名的大作家。他既出自清寒，又透过作品一再体现出其同情仍在贫窘困顿状态中挣扎的清寒之士的情怀，对《九猫图》的作者之无籍籍名并不计较，也就无足怪了。

后来《九猫图》的作者有了相当名气，前年已去了美国。现在松本先生仙逝，想来那《九猫图》已成遗物，仍存于他的故居。不知道他的故居会否成为博物馆式的开放性场所，而那位画《九猫图》的朋友有一天去东京游览，参观松本先生的故居时，会不会在那故居中与他昔日画下的九只小猫咪重逢。

1992 年 8 月 18 日

# 他们知道陈查礼

真正弄懂西洋人谈何容易。比如我就长期分不大清金发碧眼的西洋人之间的文化差异。开头，觉得西欧人和北美人应该大体是一回事儿，后来发现竟有很大的区别，而且他们之间还挺在乎他们的文化区别，比如九年前我在法国巴黎街头咖啡座上，偶尔同一位法国朋友说起，"美国纽约又称现代派艺术之都，可惜现在还没有去过……"他听了竟仿佛被马蜂蜇了一下似的，耸肩摊手摇头地说："纽约？！纽约那地方有什么文化？！"搞得我挺尴尬。后来才弄明白，为数不少的法国知识分子都有"地中海文化中心论"的观点，认为西方文明的摇篮是地中海文化，而法国不仅是地中海古典文化烂熟的代表国，也是西方现代派艺术最大的温床，巴黎又尤其应算为西方文化特别是西方艺术中雅文化的摇篮和样板，他们对以粗鄙的商业性俗文化取胜的美国大有嗤之以鼻的劲头，又尤其听不得纽约，认为恰恰是纽约那地方，把从地中海肇始的西方文明糟改得不像个样子……当然法国文化人中也有反地中海文化传统乃至激赏纽约文化的，以及持比较温和的态度主张各种文化互相交融的，但那天咖啡座上法国朋友的强烈反应，却使我铭心刻骨地憬悟到：啊，原来他们西洋人之间，也还有挺大的区别啊……

后来去了美国，在纽约勾留了一段时间，耳濡目染，这才知道巴黎和纽约不仅城市面貌大相径庭，而且文化氛围、市民心理、节奏韵律……都同处甚少异处甚多，完完全全应该归入两种不同的文化。

其实同处西欧，那文化又何尝一致，法国与德国是邻国，以往我总分不清法国人和德国人，除非他们张口讲不同的语言或干脆自报家门，这两个国家都去过以后，回来再一细品，便愈来愈痛切地感到以往把他们当做一回事实在太荒谬了，他们城市里建筑物的风格不同，市面风情的细节更充满了不同，而且一般法国人的浪漫狂放和一般德国人的严谨沉静也明显不同，怎么能把他们笼而统之地都视为一种"西洋人"呢？

如果说我们弄不大清法国人和德国人、瑞典人和瑞士人有什么不同的话，那么，西洋人似乎就更分不清我们中国人和日本人，尤其是和朝鲜人、越南人乃至马来西亚人等东方人有什么不同，我在西欧和北美访问时就多次被指认为日本人、韩国人和马来西亚人，使我不得不一次又一次地向他们声明我是中国人。记得在美国旧金山访问正好赶上了"万圣节"，这是个人人都可以装神弄鬼胡闹狂欢一夜的快乐节日，我也到一个大游乐场里参加了化装舞会，在舞会上装扮成什么的都有，从莎士比亚戏剧中的人物到魔怪妖精，林林总总，令人眼花缭乱，但忽然人丛中有一位美国人，他穿着个斜襟长袍，脑后拖下一条长辫子，脚上蹬个翘头靴，头上戴个竹斗笠，这倒也罢了，他怎么化装是他个人的事，本不足评，但他偏在衣服上粘贴了三个歪歪扭扭的纸剪汉字："中国人"。我目瞪口呆之余，不得不向身边的美国朋友声明说："他这模样绝对不是中国人。第一，中国男人不留长辫子已经好几十年快一个世纪了；第二，中国男子早不穿这种大褂了；第三，斗笠的形状，分明是越南人常戴的；第四，那双靴子，是蒙古人穿的，固然中国有蒙古族，但一般也不穿那么古里古气的靴子……总之，他对中国人的形象完全理解错了！"但美国朋友们全嘻嘻哈哈，不以为意，本来那个"万圣节"也是时兴胡乱装扮的，谁能管别人怎么装扮呢？

对比在美国受到的刺激，那我在法国布列塔尼岛的南特市的遭遇就更为尴尬了，那地方离巴黎颇远，很少有中国人去，所以当地居民对中国知之甚少，我曾在一位当地中学教师家里，同若干地位与之相当的法国人相聚，借助翻译，我请他们任意举出十个他们所知道的中国人名字，不分古今，而且由他们集体凑，凑齐十个就行，结果，他们很快就说出了一个"老子"，那并不出乎我意料，因为我知道在西欧，尤其德国和法国几百年前就有关于老子的介绍和《道德经》的翻译，老子在他们心目中比孔子还要著名；当然他们很快又说出了"孔夫子"；他们第三个说出来的是李小龙——那时候中国大陆的电影没有任何一部在法国商业性电影院放映过，只有香港李小龙的"功夫片"正大放特放，所以他们都知道功夫明星李小龙；说出这三个以后，他们竟都卡壳了，令我纳闷，且令我不快，我便反问他们："你们难道不知道毛泽东么？"这话一出，一位女士竟耸起眉毛，仿佛没听懂，但很快一位男士就大叫一声："毛！"结果包括那女士在内的全体法国人都欢叫起来："毛！毛！当然知道！当然知道！"原来法国报刊电视广播等传媒中，提到毛泽东时一般都简称"毛"，你说全名，他反倒二乎了，我想如果我们到中国农村去，问他们知道不知道卡尔，那也许会出现同样的短暂理解障碍，得经人提醒，才会恍然大悟：马克思啊！那怎会不知道呢？其实"马克思"同"毛"一样，也只是个姓而已。

好，这样算来，他们说出四个中国人名字了。再问，他们想了想，很友好的样子，很愿意往下说的样子，很抱歉的样子，还互相小声商议着，但竟不能再继续，翻译忍不住了，问他们："难道你们不知道周恩来？巴黎有栋房子，他曾经住过，现在门口挂了纪念牌的……他是中国最受人民爱戴的国务院总理！"这才有多数拍掌表示"怎么会忘了！"但也还竟有一两位小声向他们身边的人打听："谁？……"因为在巴黎，各国名人住过的房子门口几乎都挂了牌子，那里不仅牌子多，雕像也很不少，也难怪有的人记不全……

再往下问，忽然有个法国人说："我还知道陈查礼！"他话音一落，其余的人全呼应上了："对了！对了！知道知道……"

陈查礼？！

我愣了半天神，才恍然大悟，那是老早老早以前，美国好莱坞电影里头，虚构出来的一个"中国侦探"，中国根本就不曾有那么一个人，难道这些法国人对中国的认知，竟如此粗疏浅薄吗？他们还都是有头有脸的当地知识界人士呢！（当然他们当中没有汉学家、东方史学家、新闻记者。）我当时心里头那滋味，真无法形容……

当然，这是九年前的事了，这些年我国对外开放的步伐越来越大，我们同世界各国的交往比以往更频密也更深入了，相信关于我国的信息，特别是最新的信息，是呈几何级数增加地传递到他们洋人那边，并被他们大量地吸收了，倘若再去南特那类地方搞一次那样的测验，他们总不至于还是劣等生的水平吧？

回忆起这些事来，主要的感想，就是我们每一个到国外访问的中国人，一定要努力向外国人传播我们中华民族的各方面的信息，特别是要争取把那些信息渗透到他们民间中去，使他们既认识到我们文化的悠久恢宏，也知晓我们正在怎样迅猛地朝现代化迈进！

1992 年 12 月 31 日

## 铃声响起

过年那几天，想必许多青年朋友耳边少不了铃响，一是门铃响，时逢节期，亲朋好友欢然而至；二是电话铃响，大约除了谈"正经事儿"以外，单纯问好的必然骤增；三是自行车铃响，去亲朋处拜访，急匆匆中不忘安全，故而你的我的他的车铃声响成一片……

一位青年朋友对我说："真怕过节，怕热闹，怕铃儿响……想必与他共鸣的人不在少数。人生本如处于热闹场中，过节更如鲜花着锦、烈火烹油。《红楼梦》第十九回写贾府过年，宝玉到得宁国府"见繁华热闹到如此不堪的田地，只略坐一坐，便走开各处闲耍"。热闹有时确实令人不堪承受，人生的乐趣，"闲耍"往往反比"热闹"可口。

热闹的时候，常想逃避热闹，但倘若是极不热极不闹，达到了冷清和孤独的程度，那滋味就好受么？

记得年前圣诞节期间还在瑞典，在电视上看见一则广告，先展示一个美丽的房间，竖着挂满饰件的圣诞树，树旁的台子上摆满包装精美扎着彩带盘着花饰的大小不一的圣诞礼品，还有许多燃着光焰的烛台；然后镜头摇向一对老年夫妇，他们倚肩而立，望着窗外纷飞的雪花，表情竟十分地惆怅，显然，他们处境温暖而不热闹，富有而不满足，他们又都将目光移向一侧的电话机，那电话机绝无铃声而冷寂如冰……他们的目光分明在说：怎么搞的，孩子们虽然远在一方，竟连个电话也不挂来？看到这里，我已忘记那仅是一则广告的引子，顿感人生中的寂寞，乃是心灵的一大悲哀；但荧幕上跟着便响起了铃声，却并不来自原来所显示的那架有绳电话，老夫妇循声而去，方发现是一个礼品盒在发响，拆开那礼品盒，原来里面是一台新颖的无绳电话，老母亲拾起电话凑拢耳边，于是立即传来女儿亲昵的问候声，而画面上也便圈出女儿在远处打电话的笑面，老父亲扶着老母亲的肩膀，双双笑逐颜开……这则无绳电话的广告，昭示着我们无论世上何方何族，节庆期间的亲情，总是人生不可或缺的补养，我们可以逃避那达到不堪田地的繁华热闹，却不可借怕热闹而推诿应尽的亲情，特别是青年人，在年节时主动想到父母师长，至少以铃声和笑语给他们以慰安，那也是足以使自己更快乐的。

　　人生的旅途，从某种意义上说，便是在热闹与寂寞、群体与个人、辛劳与闲耍、沉重与轻松、嬉戏与严肃、执著与妥协、争取与放弃、成功与向往……之间不断求得平衡的一个过程。愿你在铃声频响时不至于过分厌烦，在冷寂无声时亦不至于深陷惆怅！

1993 年 1 月 16 日

# 还是要商量

电视连续剧《爱你没商量》尚未播完，褒者与贬者不仅争论于家庭、单位乃至公共汽车之上，也见诸文字公布于报刊，就凭这一现象而言，艺术家们的这一创作便真没白费心血。不过这里不拟参与褒贬也无兴致"各打五十大板"，这里只想说说入戏出戏的问题。

"人生大舞台，舞台小人生"，这是老话了，所谓"人生如戏"，所谓"游戏人生"，其实都是话里有话，万不要真照那字面的浅意去理解去实践。但我就知道有那样的青年朋友，因为喜欢文艺，喜欢戏，喜欢歌，喜欢明星，成了"发烧友"，结果便入戏深沉而不能自拔，把假戏当做了真事，视大众偶像为私人爱宠。这样地迷失了自我已经非常不幸，更糟糕的是一旦他们到了"梦醒时分"，发现生活绝不是戏，便往往顿感失落、困惑以至悲观以至委顿以至真的"过把瘾就死"了！

前些时在《新民晚报》上看到一则社会新闻，说上海某里弄有位青年，男大当婚却总未落实对象，终于又有人给他介绍一位女郎，那女郎头一回应约来他家，他一见钟情，当即要人家答应与他结婚。人家说还得回家同父母商量，他却耐不住了，十分地"入戏"，高呼着"爱你没商量"，猛地扑身上前强行拥抱人家并要接吻。那女郎大惊失色，挣脱后一边哭着一边跑出弄堂，惹得一群邻里路人围观，以为发生了一宗流氓施暴案，那男青年则直到人们拖住他时，才省悟到戏是戏，而生活是生活，戏好玩，而生活则玩不得。

时下许许多多的青年，将会发现人生并不真的如戏，置身其中的生活，可能不仅没有高潮，没有望得见的转机，没有那么多有趣的细节，更没有那么多机警幽默的对白。生活的真面目可能是平淡、平板、平凡、平实，不仅你爱她她爱你都得商量，一切人际间的事务都离不开相互的一再试探、反复接触和细致商谈。戏是为填补人生中的缺憾而存在的，却绝不是供你照抄照搬的"人间指南"。虽说人家写了个小说叫《千万别把我当人》，你倒去侵犯他的著作权、肖像权试试，保险叫你吃官司。写了《过把瘾就死》的人过了可能不止一把的瘾，却绝对不需要你去出席他的追悼会；写了《风过耳》的人也并不甘心真如同一阵轻风似的掠过你耳朵就算。所以你真要品味人生，那头一条就得先品味平淡。俗话说："嚼得菜根，百事可成。"那么，善饮白开水的人，他身体一定健康。对生活并不抱戏那样的期望，甘于平淡和平凡的人，也许反倒会练就一副丰厚坚毅的灵魂，在人生的舞台上成为一个实实在在的角色。

1993 年 2 月 6 日

# 富而思雅

　　一位朋友拿来一张电脑打印的小广告，上面劈头两行便是——"为物质享受您舍得一掷千金；同样千金何不用于精神享受？"据说该广告是拟举办的"见名人、听名人、问名人、读名人"活动的"问路石"——他和他的合作者对该项活动的促成颇具信心；看细目，那请名人讲的头一个题目，便是《琴棋书画·富而能雅》。不消说，这位朋友和他的合作者，扮演的是"穴头"的角色，"穴头"早已有之，但在我闻见范围之内，大抵全是组织歌星、笑星、影视明星去跑码头演出，所瞄准的"买方市场"是难得一见"真佛"的淳朴观众，特别是年轻的"发烧友一族"；但组织文化名人特别是写书的人"走穴"，要听众交一千元的费用，听个十来讲，每次保持五六十个人的小场面，一半时间听讲，一半时间问答（即座谈），末了还可白得一本出场名人的签名著作——这种"穴头"我还是头一回遇上。我对"走穴"的社会现象一直持不仅宽容而且颇为肯定的看法，因为"穴头"组织明星到银幕荧屏之外，"现出真身"，娱乐民众，只要他们的活动是在法律范围之内，且拿出些货真价实的健康节目来，应该说是起了丰富群众文化生活的良性作用。至于"穴头"因此而发财，"走穴"的明星因此而暴富，那尽管听来令一般工资收入者瞠目咋舌，但也证明着在市场经济中，明星们的亮相表演确也有着那样惊人肥厚的买方市场。

　　不过，一千元听十来次"富而能雅"的"系列讲座"，能有充足的买方市场么？我有一位经营汽车配件的个体户朋友，便将那广告上的信息报告给他，且观察他的反应。他先是一愣，后来便一笑，再后来便喝刚沏好的二十五元一两的白牡丹茶，不言语——但显然并非无动于衷，隔了几天，我再去他那经营部闲坐时，他才拾起那话茬对我说："要真能请到××、×××……那就没得说！不过十来次太多了，能不能一次两仨人地来见见，侃侃，收费标准倒不必改变……"看来，他已成为了那"系列讲座"的一个潜在买方。

如今富起来的自然只是人民中的一部分，大富者更是一小部分，但这些富人之中，有了富而思雅的念头，在不惜一掷千金地进行物质享受的同时，亦有了以千金买雅的打算，不能不说是既有益于他们自身，又兼利他人和社会的一种新的心理流向。我那经营汽车配件的朋友，还这样对我说："我听不听倒无所谓，反正一身的臭铜味儿了，我闺女她该去听听……"这自然让我想起了"贵族看三代"的旧话，心中涌出许多厚重的感慨。

又遇上那张罗"名人讲座"的朋友，我对他说："你们打出的旗号，是'富而思雅'，其实你们一伙文化人，骨子里是'雅而思富'；如今连'雅'也进入了市场，这究竟是雅邪？不雅邪？"他只是呵呵笑，但那笑声中，却透露出许多只有社会生活发展到了这一步才能冒出的况味……

1993 年 3 月 20 日

# 人意谁善解

时下公开征婚中，"善解人意"这一条件出现的频率甚高，特别是男士提及对未来妻子的要求时，"善解人意"几乎成了一个口头禅。

何谓善解人意？大约那第一层意思，是要求对方随时随地能理解自己；第二层意思，是你并不表达或并不直接表达心里的想法，却要求他或她能准确地猜测出体味出那想法；第三层意思，则那"善解"不仅仅是"善于理解"，还要"善于排解"、"善于化解"，也就是说，要求对方善于在你并不表达或并不直接表达乃至于横着竖着表达——如大发脾气或尖酸刻薄时，都能不仅体贴、体谅你的心思，还能想方设法满足你的欲求。

噫吁乎难哉！

世上难解之事甚多，而所有难解之事中，尤以"人意"为最。

当然，人的思维、意念、情感、冲动并不是毫无规律可循，许多人文科学如心理学、行为学、语言学、逻辑学、符号学、现象学、社会学、人类学……都涉及到"人意"，世上已有无数专家学者写了许多有时是相当厚的有关学术著作，但又有哪一位敢说，自己已揭示出解绎一切人意的诀窍，提供出化解满足一切人意的公式了呢？

"也不知我是怎么了？！"这是人们有时忍不住对自己发出的喟叹。的确，我们自己对自己，又何尝时时、处处能"善解"那烦乱的意念，能化解那内心的骚动？

也许人们在未婚前的恋爱期间，确有相互"善解"的妙境出现，但男女在结婚之后，要在一起过日子，许许多多恋爱期间未曾预料或细想过的琐屑事件，会一串串一片片有时甚至是"立体化"地扑面而来——比如一位男士就对我说,婚后他总得经常面对一个入浴化妆前蓬头灰面的妻子——这是他恋爱期间绝未料到的;而一位女士也曾对我说,婚后她发现丈夫常有吃饭时独自想心事和她高声呼唤竟充耳不闻的时候,这是恋爱期间他们花前月下和出入卡拉 OK 歌厅时从未出现过的情形……至于一方不能理解对方的某些思绪情态,或双方同时互不理解也无暇细掰懒得化解的情况,就是在一般外人看来是恩爱夫妻的一对,也在所难免;那其实是同一屋顶下的生活者的生存常态。如婚前对"善解人意"的期望值过高,到婚后又死不肯降格以求,那么,那婚姻必是不幸的、易破裂的。

"善解人意"当然是一大优点,但我以为对自己可以如此要求,对恋人、爱人和朋友其实不必如此要求,如非要提出针对"人意"的要求,那么,我以为"善尊人意"的提法也许比较妥当。比如当丈夫下班回家,突然沉郁烦躁,妻子倘对他有基本的理解与信任,那么对他该日该时为何如此的心绪意态持混沌不问的态度,只管如常地开饭、吃饭,而丈夫亦并不希求妻子"善解"地予以慰安化解,这一天就闷闷地吃饭、睡觉,心态复原后也并不再解释或忏悔,也许,他们倒反可"白头偕老"。

1993 年 4 月 10 日

# 小事做得来

上一回的《发宜常梳》，引出了一位熟人的批评，他说你那实际上是提倡对社会阴暗面"抗不起躲得起"的消极生活态度，充其量也不过是"独善其身"的人生观；我当然也很佩服那些见义勇为挺身而出与社会阴暗面斗争的英雄人物，但我总觉得抑制、打击阴暗事物是一桩需要全社会协调运作的大事，现在不是有一种针对违法犯罪活动的"综合治理办公室"的机构吗？可见光靠个人的挺身而出，也还是没有绕出"独善其身"的圈圈。我们需坦率地承认，任何地方任何民族任何社会任何群体，都不可完全消除阴暗面而呈现出百分之一百的光明，光明需要不懈地追求，阴暗面需要不断地加以抑制、缩小、冲淡，这里面许多的大事情需要政府做，需要建立健全法律，需要具有高效能和高效率的执法机构；大事如何做这里不讨论，而且，世人多数是庸常之辈，也不能要求普通人都来做大事，如果芸芸众生中的一员大事做不来，我以为那不算什么罪过，问题是，大事做不来，小事呢？凡正常的人，小事总是做得来的，问题是去不去做？

大事做不来，小事又不做，这样的人是最没有出息的。不当英雄，无可责备，但甘当昏虫，那就接近于堕落的边缘了。记得打从几十年前报刊上就出现过这样的讨论：假如你看见一个人不慎跌落到深水中，而你又不会游泳，那么，你是否应当毫不犹豫地跳下水去救他？一种极端的意见，是作肯定的回答，并且认为即使两个人同归于尽，也非常值得，因为可以体现出一种舍己救人的精神光芒，那英雄行为的意义，超出具体生命的价值。我觉得这是一种只允许做大事当英雄而鄙夷做小事当凡人的观点，观点包装得很堂皇，但"中看不中吃"，并不能导致普遍的道德提升，更不能解决大量的实际问题。我以为在尊重英雄行为的前提下，我们无妨提倡凡人多做有意义的小事，比如，把废弃物准确地扔进垃圾桶，劝阻偶然遇上的打算在禁游区游野泳的小学生下水，写封"读者来信"投寄报社对加强绿地保护提几条具体建议，无能力与歹人正面搏斗但在有了一定安全保障后能及时报警，不围观马路上的争斗场面，在有关部门调查时说出目击的实情，坚持从斑马线处过马路，骑车遇到红灯一定下车等候，在该排队的地方自觉排队……"充其量是独善其身"么？不错，勿以小善而不为，能把小事的量"充齐"，那我认为一个普通人也就焕发出了一种虽不耀眼却也美丽的光辉。

1993 年 5 月 15 日

## 注重细节

北京西单有一座外观很洋气里面也挺气派的购物中心，据说开始时是中国和挪威合资所建，故又称"华威大厦"，因为我 1992 年去过挪威，有人就问我："这华威大厦究竟达没达到挪威那边的水平？"我首先答曰：这座购物中心，几乎是挪威首都奥斯陆的那座最大的购物中心的翻版，比如，外面都采取了玻璃幕墙的设计，内里除划分为若干层若干区域并开有"店中店"外，还有若干供购货者小憩进食的快餐厅……大体而言，是达到了奥斯陆那边的水平，有些方面，如服装货档的数目，肉类熟食的品种，似乎还比那边略胜一筹。但我又不得不指出，我们这边的购物中心，以同等的投资标准为前提而言，看上去还是要差一些。差在哪里？差在细节上。比如说，两个购物中心内堂都有金属抛光镜面的大圆柱，那用料、投工量应是大体相等的，中国这边的人工费用肯定还要节省得多，按设计标准，应达到同样的效果——显得精致、光洁与堂皇；我相信我们这边肯定是想达到那样的效果的，可现在做出来的圆柱却"逊风骚、输文采"，差就差在细节上：结榫处毛糙，咬合不严密，柱面全贴不能绝对平整，肉眼能看出有凸凹不平之处，映出的景象也就"歪曲"得不那么顺眼。类似的例子几乎各层各区域都有，单就一处而言似乎也算不得多大的毛病，但这里一点儿，那里一点儿，汇合起来，便显得低档了——而那本是高投资奔着高档而去的。

北京的几处肯德基炸鸡店、麦当劳快餐厅以及"国际美食城"，都几乎是"原封不动"地把洋快餐连吃的喝的带厅堂情调以及服务方式从域外照搬了过来，但有一回我陪一位美国朋友在东四肯德基炸鸡店吃东西，她仍说那店具有"中国特色"，我问她何以作此评价。她说："你看，这店堂里明明像我们那边一样，摆了这么多真的绿色植物，可你们还是要另外挂出那么多假的塑料制作的一串串的绿叶子……"她所指出的细节，便是北京洋式快餐店的一种不自觉的"画蛇添足"，这细节一下子便把人们从尊爱天然活植物的洋氛围捡出来，落入了一般中国人以为塑料制出的花叶也同样美丽的乡俗中。当然我们中国人不必一定去向洋人的审美趣味认同，但一个细节能使"明眼人"有触目惊心之感，这例子倒也提醒着我们"细节"在某种意义上并不"细"，要把许多事做妥帖并做得恰到好处，那就必须十分地注重细节——而诸种细节中，工艺水平上的密合度、光洁度、匀整度尤为紧要，为此，我们必须不仅在投资气派上、设计标准上、心理向往上紧追"现代化"，更要在质量保障上尤其是细节处理上下大工夫！

1993 年 5 月 29 日

# 无妨经常看地图

在《想象宇宙》一文里，我建议青年朋友们暇时无妨求一点"出世"的领悟之乐，这一回我却要建议青年朋友们得便就看看地图，有的人自从中学毕业以后，再没看过地图，一位熟人从外地出差回来，说是顺便游览了一处名胜，我问他从去办事的那座城市到那处名胜，半天时间里中途都经过了什么地方，他说不出来，我问他那名胜位于那座城市的哪个方向，他也说不清，及至我拿出地图册请他从地图上将那名胜所在指给我看，他找到那座城市已十分费力，不愿再"瞎耽误工夫"，推开地图册，直说我是"死心眼儿"，让他介绍一下所游览的那处名胜的自然景观，他只简单地概括曰："挺不赖！"至于那名胜地的人文景观，对不起，因为他从不注意，也没在旅游地购买旅游图的习惯，所以连一个完整的词儿也引不出来，他唯一印象深的，是"那儿的王八挺好吃！"其实当地很可能并不把那东西叫王八而称作水鱼，并且那道菜很可能有个诸如"霸王别姬"（水鱼炖乌鸡）之类的雅名儿；总之我这位熟人固然绝无过失起码是绝无大过，我还是很为他感到遗憾，我总觉得他有愧于"人是地行仙"的说法，走了那么多地方，其实许多地方于他而言，简直等于并没有去过。

人活世上，把各处都走遍，可能性极小；别说世界之大，就是我们自己国家，把每个中等以上的城市都走到，也几乎没有可能；就以北京一地而言，不去说那些不爱游逛的古板人物，就是非常活跃的分子，把所有大大小小新老旅游点走遍的，恐怕一共也没有几个，所以人既是"地行仙"，更是"坐地客"，人在务实中，实在有必要随时把"我现在究竟是在哪儿呢"搞清楚，这不仅仅是功能性的需求，提高来说，这也是个体生命与群体与民族与国家与外界与人类取得心理和谐的一个重要的方面。

我和我的一些朋友,包括一些年轻的朋友,很爱看地图,也不仅仅是从"我在何处"着眼,我们得便就凑到世界地图跟前,比如认一认苏联解体后的那些新的独立国究竟都在什么位置,以及原南斯拉夫地区同哪些其他国家相邻,与西欧几个主要的发达国家离得有多远,还有五百年前的那个哥伦布自以为是到达了"印度"而实际上他是到达了地球上的哪个位置,等等,那在地图前指认的乐趣,绝不是温习了一点历史地理知识以及深入了解了一点时事,常能引出不可尽以言传的世事沧桑之感和在世为人的悠然遐思。

我自己还很爱购买收集小地图,比如北京每出版一种新的游览交通图,我必买一张,各风景名胜地的导游图,小到比如说颐和园里苏州街的小图,我也都不仅收藏而且经常赏看,我觉得看各种各样的地图,实际上也构成一种修养,这当然和想象宇宙不同,是更促进"入世"的一种情思,愿与我有同好者多多!

# 吃白果

曾写过一篇《学会吃冷面》的文章，意犹未尽，再写此文，我在那篇文章里所说的冷面不是指供果腹的凉面，而是指人在生活里遇到的冷面孔，人的面孔之中，两眼最富表情，有所谓"眼睛是灵魂的窗户"一说，如果那窗户竟对你关闭——不是合上眼皮不睁开，而是不给你正眼仁儿，只给你一对"家藏白果"——那种虽近在咫尺却被拒之于千里之外的感觉，真有如单衣临寒风、雪夜无炭火，是冷气直钻骨髓的。

敢问青年朋友们，可都已品尝过此种白果的滋味？

服务行业的某些服务员、售货员、售票员的"家藏白果"，想来你一定领略过；那实在算不得什么，因为他们一般不会同你构成某种深层次的人际关系，他们的"白果"你可以只当做变了味的"卫生球"，不屑一顾地拂袖而去，或爽性真做一回"上帝"，找到他们的上司，据理力争，从那里取得一对"青果"以为报偿；但如果你是到了一个自己并不愿意轻易放弃的人际纠结点上，而在那里遇到了甚至不止一对的"白果"，你又绝不具备"上帝"的身份，不可能靠投诉获得青睐，你该怎么办呢？

有的青年朋友可能会说，现在时代不同了，职业可以自找，不合意，不等上司炒我鱿鱼，我先炒了他的！凭什么我要看人眼色行事？白果？坚决不吃！更何况现在我还可以干个体，我自己当老板，我没上司，我倒是别人的上司，只有我给别人"白果"的份儿，别人焉能给我亮出"白果"？

别逗了！那从理论上"论证"出只有自己赐人"白果"而永世不吃别人"白果"

的青年朋友，他实在是阅世太浅，恰恰是一位自己当总经理干个体的朋友告诉我，他的成功经验之一，就是"从不愿吃白果到勉强地吃白果，从勉强地吃白果到习惯于吃白果"，终于"能够有选择地吃白果"，而且竟至于"吃白果吃出了甜头"！这里不可能详细援引他那些让我大为惊异的人生经验之谈，只拈出其中的两点，共同品味：其一，"人们不可能马上认识到你的价值（哪怕你已确认了对方的价值），因此对你的漠然、轻视乃至于鄙夷不屑都是很难避免的，只要人们脸上的那对白果不含更多的恶意，你心平气和地吃下它不但是必要的，也是一种无形的鞭策，可以激励自己更努力更有效地展现出自己的价值，这样，势必会在某一天，那些原来给你白果吃的人，自动会把他们的青果奉献给你！"其二，"在人际关系中，从能吃白果到有选择地自找白果吃，是一种成熟的标志，往往也是事业发展的新开端，其中的先苦后甜，没经历过的人是无从体会的"。我想他原是一个既无学历又无背景的小人物，现在出现在酒会上，常有那达官名流很自然地围在他身边奉他以"青果"，其中就必有他曾经有选择地去先主动吃其"白果"的若干人物，我真希望我的这位朋友今后能写出一本《吃白果经》来。

# 回归黑白

自从彩色摄影普及，规格化的彩色扩印照片在每一个小康家庭里大批存在乃至泛滥成灾，黑白摄影就基本只是新闻记者和摄影艺术家以及摄影爱好的圈内事物了；这种情形在中国大概自十多年前开始，到前两年达于极点，不过，最近情况有点不同了，一些并非具有摄影专业知识的普通人，又开始喜欢起黑白照片来，据说黑白胶卷在普通消费者中已不再受冷落，而一些原来只吸引普通顾客只搞彩扩的门市部目前已不失时机地在窗口挂出了招牌："接收黑白扩印业务"；预计回归黑白的势头还会逐渐增强。

色彩单调、光泽暗淡的社会氛围是压抑人的心灵的，从那样的氛围中突破出来，变得五彩缤纷，斑斓一璀璨，当然是社会进步的表征；但所谓万紫千红、珠光宝气，却又往往难免落入艳俗，于是，社会的进一步发展，就会是艳极思净，俗极思雅。

从审美的角度，大多数有眼光的人，都会认为世界上最富于表现力的颜色是黑、白、灰三种颜色——灰其实是黑和白的中间过渡色，所以最富于表现力的颜色简要地说也就是黑白两色，由于在白色的制作材料上完成作品时白是现成的，因此进一步简要地说，最富于表现力的颜色干脆就是一种——黑色，黑色的线和黑色的团块在白色的底子上可以生发出无穷的美感。

这里且不探讨色彩的美感问题，只是想问：并不热衷于美学研究的一般市民，他们那对黑白照相的回归性喜好，那深层的心理契机是什么？

我们的社会生活，曾经历过"以阶级斗争为纲"的时期，那时候，黑白都是与红对立的有罪之色，人们的思维定势，是两极对立的习惯性判断，比如看电影时，虽然那片子里的角色已经相当地脸谱化，孩子们还是要迫不及待地问：谁是好人？谁是坏人？大人们出了电影院，面对陌生人也总有点忐忑不安：他或她是"红五类"还是"黑五类"？就是本人无政治历史问题，也还有现实表现是"红专"还是"白专"的区分；那种情况发展到极端，就连"百花齐放"和"百家争鸣"这两个词儿也被排斥了，因为"百"意味着多样化，而多样化将导致对强行设置的两极对立的怀疑与瓦解。

毋庸讳言，近十多年我们的社会生活大踏步地迈向了多样化，到了最近一二年，社会生活变得尤为令人眼花缭乱，"以阶级斗争为纲"的两极对立式思维定势只存在于一小部分人脑袋里，"以经济建设为中心"的路线大得人心，但从计划经济向市场经济的大转型，也确实带来了许多令人瞠口呆甚至于瞠目结舌的复杂社会现象，人们在尽情享受了缤纷多彩的乐趣与文化失范带来的一定程度的放纵之后，开始有一部分人不禁思考：难道多样化就意味着每一样都等值吗？在许许多多各不相同的事物中，真的就没有相对是最好与最坏的吗？他们因此渴求在心里形成一种单纯而洁净的新价值标准。

知微见著，我以为人们对黑白照相的回归性喜好，是一种在市场经济中心性走向成熟的征兆，我所说的回归当然不是回到两极对立的简单化思维定势上去，而是超出混乱达于澄明的意思，也许我是太敏感了，这年头，敏感点好。

## 拒曝隐私

　　隐私权是公民的一项重要权利，但在我们的社会生活中，个人的隐私经常得不到尊重，比如，最近看到一段电视节目，是记实性的，整个节目编排得还不错，通过电视记者的游动性采访，展现了某地区居民从事个体经营的蓬勃气象，使我眼界大开，但那记者采访到一位个体户时，问："你现在一年赚多少钱？"那个体户垂下眼帘，显然很不愿回答，记者却紧追不舍地问："去年一年你赚了多少？今年到现在一共赚了多少？"记者当然绝无恶意，大概是觉得问出个具体数目字来，让电视机前的观众能更被那个体户的富有所震动，以达到宣传改革开放成绩巨大的目的；偏那位上镜的个体户满脸不自在，哼哼唧唧死不痛快回答这个问题，于是记者又改个方法问："一年总得上百万吧？不止一百万吧？"那个体户含糊地点了个头，记者才又去问别的，不知别人看了这一段作何感想，我反正对记者的这种问法很不以为然，对那位在电视摄像机前大窘的个体户十分同情，并且也很佩服他终于维护了个人经济隐私的意志。

　　由于我们公民的隐私权在很长的时间里都得不到保障，因此我们甚至缺乏隐私这一概念，这里不去举那种恶意践踏隐私权的例子，再举一个善意入侵的例子：宴会上，一位男士恰好与一位他久所敬仰却从未有幸亲近的女电影明星坐在一起，那位明星三十年前主演的一部电影这位男士至今回想起来，许多镜头还如在眼前，他望着明星，不禁吃惊，因为她竟还是那么神采奕奕！于是他忍不住问："您今年多少岁了？"明星笑着只和他说别的。他却好奇心难消，坚持问："您多大岁数了？"明星只好巧答曰："我么？一大把岁数了！"死心眼的男士竟跟上去问："一大把……一大把是多少呢？"那女明星只好仿佛不经意地发现了邻桌的熟人，对他嫣然一笑，起身去邻桌了。

个体户的经济收入，当然应对工商税务部门如实申报；再大的明星，他或她在有关部门的具有法律意义的表格的出生年月一栏中也须精确填写；但他们有对社会一般成员包括传媒的记者拒曝隐私的权利，而且，有关部门虽依据法律掌握了他们的若干情况，如年收入，出生年月日，家居地址，银行存款数目，等等，也应为他们保密，不得随意宣诸公众。

当然，公民的个人隐私，有的是即使政府和司法机关也不能涉及的，如个人的日记和信件，于社会和他人无碍的隐秘感情与癖好，等等。

现在中国的名人一般比较具有隐私观念，对于别人曝他们的隐私，非常敏感也非常反感，有时还诉诸法律来捍卫自己的隐私；也有利用社会一般人的好奇心理，有意将自己某些隐私主动曝出来，以保持自己的轰动效应长存不衰的——这从反面说明了他们对隐私的自觉意识。

对于社会上最大多数的一般人来说，我以为尊重隐私要从首先尊重自己个人的隐私入手，像那位个体户在电视台的摄像镜头前拒绝将个人的经济隐私曝光，就很值得肯定；既然懂得了捍卫个人隐私，那么，对别人的隐私的入侵，当然也就会中止，大家的个人隐私都得到了尊重，那么，人们的相处，便会更趋文明。

# 心慌慌

有个英国电视连续剧，破案的，叫《心慌慌》，好多电视台都播放了，想必你早看过。但我这儿要跟你侃的，可不是那个电视连续剧。

电视剧里头的人心慌慌，我们坐在沙发上嗑着瓜子儿看热闹，就是有点心慌，也是为荧屏上的影子担忧，属闲情逸致。但是最近电视里头净表现商品经济大潮的涌动，一会儿蹦出个镜头，让你看见那发家致富了的农村个体户住着多让人眼馋的小洋楼；一会儿又是个什么主儿的大特写，在述说他怎么开拓了新市场怎么向上亿的利润进军……这下坐在廉价沙发上的你浑身不自在了，你这下可真是心慌慌了。可是电视上的那些个英雄豪杰谁也瞧不见你，攘攘人世，茫茫人海，诡诡人心，沉沉人生……你那失落感惶惶惑惑，又岂是一个"慌"字了得？到了一个坎儿上不是？"坎"字原是八卦里的一卦，表示水，又引申为水洼子。所谓"坎坷"，就是说路不平，坑坑洼洼的难走；但在口语里"坎"字又常表示高出来一块的地方，如北方人说"土坎儿"，南方人说"梯坎儿"；不管怎么解释吧，坎儿总归是不平顺的意思。就算生活节节向上，一个更高更好的坎儿活现在我们眼前了吧，到底是个新现象，使我们置身在了一个新阶段，要求我们得有一个新的心态，一种新的步伐，因此，任凭好事也心慌——这坎儿可怎么过怎么迈呀？

面临着这社会大转变的，不是你一个人。从全盘的计划经济转换到市场经济又朝社会主义商品经济转换，尤其到了这 1993 年，经济大潮汹涌澎湃，面临这坎儿的是全中国所有的人。不是一个人的事儿，就不慌了吧？不然。人跟人不一样啊，俗话说，"人比人，气死人"，进入了竞争机制为杠杆的社会，不容你不比，可怎么个比法？比完了有气怎么办？有气倒好，要是泄气，那就糟了！

所以，在这坎儿面前，无妨侃侃。我也许比你痴长些岁数，也算经历过一点儿坎坷吧，好赖多那么一点儿体会，有那么些个一星半点的建议，所以，就不揣冒昧，都奉献给你。听不听由你。说实在的，跟你侃侃，我那心慌慌的焦虑感，也许能缓解下来。你不听，我自说自听也算是练了套心理放松操。

仔细想来，你我心慌慌，慌的究竟是什么？慌的是"以阶级斗争为纲"的前提下怕被当做"现行反革命"揪出来吗？不是！慌的是1959年到1961年那"三年困难时期"式的吃不饱肚子吗？不是！我们心慌慌，是在安全和温饱都有相对保障的前提下，怕人家富过了我们，而自己却富不起来；怕政府允许我们富而自己却没招儿，或者有了招儿又怕玩起来不灵；当然更怕经济大潮光是狂涌而建立不起来应有的"弄潮规则"……

现在你我应该做的头一桩事，就是坦率地承认自己心慌慌，不要掩饰。不仅不必向亲友掩饰，甚至亦不必向同事邻居掩饰，自己对自己尤其不应掩饰。不要不好意思，心慌慌不是一种耻辱，要摆脱"想多赚钱想过富裕日子想发财"是"剥削阶级思想"、"个人主义"、"庸俗幸福观"、"没羞没臊"、"低级趣味"……的精神桎梏，使自己的心态渐渐从"燥慌"变为"冷慌"。所谓"冷慌"，就是冷静地面对坎儿。人一冷静，那就具备了跨过洼坑或登上高坎的最基本的心理能力。

经济大潮的涌动如何形成公正、健全的"弄潮规则"，非我们侃侃便能奏效的。我们现在只能以自我为本位，侃侃在这大潮中如何应变。冷静下来，我们便从这儿侃起。且听下回分解吧！

1993 年 6 月

# 找到自己的角色

　　人生一台大戏，各有各的角色，找准了自己的角色，则有戏可演，找错了自己的角色，那就没戏！当然，我们在找角色，社会也在派定角色，更有一位厉害的导演，名叫"命运"。他（或应写作"她"？谁能说清"命运"的性别呢？总是他或她给我们填定表格，而从来不让我们知道他或她的档案）常常使人扮演自己始料未及的角色。

　　在商品大潮涌动的今天，中国人大都想抢扮一个"海"里的角色。文化界响起一片"下海"之声，也确实接二连三地有人"扑腾"、"扑腾"地跳进了"海"。"海"是什么？是商品流通领域，即直接的经济运作领域，"下海"也就是经商，看来商人是时下中国这个大舞台上最让人青睐的角色。争相扮演者甚众，一时没演上而眼红者亦甚众。

　　一个商品经济的社会自然需要商人，而且需要相当数量的商人。从提篮小卖的小商人到满世界开连锁店的大商人。但是不是每一个人都具备在人生舞台上扮演商人这个角色的条件？答案很简单，不是。人的天性各异，且不计后天所受的熏陶所形成的品质，有的人确实是生来就不适宜经商的。好在纵观人类社会，凡没有崩溃的社会，它就不可能是一个人人都扮演商人这一角色的社会，而越是健全和文明的社会，便越不会商人过剩而缺少许多别的角色；反过来说，一个角色丰富完全的社会才是一个昌明的社会。就是一时人人争抢商人的角色，到头来（用不了多少时间）那位叫"命运"的导演便会来调理人生舞台，削掉多余的角色，而增添若干需要的角色。因此，我们每一个人越是能看准自己的素质，及时选择上自己最适宜的角色，就越

富 心 有 术

有可能被"命运"导演重用。从而能大过"戏瘾",在人生舞台的演出中获得谢幕时的掌声。

心慌慌的朋友会对我说：时下扮演商人的角色，油水最大啊（捞不捞得到究竟能捞多少固然难说，但捞到大桶肥油的例子确实很多），而扮演别的角色，比如你到小学里去扮演教师，或者到医院里去扮演护士，也许确实符合你的天性素质，但你把那角色扮演得再好，又能捞着什么呢？你很可能是"越教越瘦"或"越护越穷"。闹不好，还不到该谢幕的时候，便在台上溘然倒逝。所以，你那"找到自己合适角色"的高论，配上个曲子唱唱或许还好听，真照你的办，非在坎儿前趴下不可！

我要跟你说当个小学教师或医院护士比那商人高尚，或劝当教师和护士的甘当孺子牛安贫乐困，那可就矫情透顶了！一个社会赚钱多的富人如果不顾及其他相对不富裕或简直是贫穷的人的生活提升，不通过纳税、捐献或建立基金的方式消弥贫富间的巨大鸿沟（不是填平），不保护文化扶持教育注重医疗卫生事业和建立老年与失业救济制度，那社会必定再次失衡。当年的革命就是那么引起的嘛。我想我们的社会主义商品经济应当能大大避免社会失衡的局面。所以像小学教师和医院护士的社会地位和经济收益问题，应有可能比在"大锅饭"局面下获得更快也更大幅度的改进。这话可不是矫情而是真诚的企盼了。

我们每一个人都不仅有权向往更有权追求过一种富裕而高雅的生活。但要想达到这一目的，一是我们每人要选准一个适合于自己而社会也需要的角色，二是一下子赚得很多的角色和一下子挣得不多的角色间要有一种良性的调谐关系，调谐的效果应是保证大家都在小康线上，而又允许一小部分人达到大富。

1993 年 7 月

# 富心有术

民富方能国富，身富方能心富。

社会主义商品经济的蓬勃发展，富了各省，从而富了中国；富了老百姓，从而富了国家；人富了，获得一种成就感，身价提升；倘是"为富不仁"，违反社会"游戏规则"所致富，"偷来的锣儿敲不得"，那心里的成就感就不稳定，身价也可疑；但即使是在宪法和法律的范围内操练，身富了，有时心里却还难免空落落的，因为当面人家可能都奉承着你，背地后把你的身富而心空当做笑话在茶余饭后一侃，风吹回来钻进你的耳朵眼儿，终究还是不好受。

身穷心富的例子，自古有之。孔夫子就赞扬过他的爱徒颜回，在"一箪食，一瓢饮"的条件下保持着精神富有的快乐。作为单个人的一种价值取向，这本是无所谓的事。在经济最发达的国家，也有那亿万富翁偏过一种物质上最朴拙的生活。但问题是这不能成为一条道德标准，尤其不能成为一条全社会必须遵从的道德规范。就全社会而言，我们还是应当把身富心亦富视为一种最正常的生存状态。

对于社会上大多数人而言，是不可能"皆成尧舜"的，"衣食足而知荣辱"也是古训（《史记·管仲列传》里说的）；"人穷志短"这句话也不是污蔑劳动人民的"谰言"，除非你在当中间非加上个"必"字。对于社会上大多数人而言，身富方能心富，算不上个规律也总是个多见的现象吧！

但身富和心富却又有个互相制约的关系，心富的人会问：人需财几何？多多益善么？怎么个多多益善？是不是该让自己成为个装满了"发财发财发财"的瓶子，里头什么别的都装不下了？记得俄罗斯文豪列夫·托尔斯泰写过一篇小说，叫《人需地几何》，讲一个人去买地，那卖地的人说，你只管在田野上跑，从太阳升起到太阳落山，不管你跑多大一个圈儿，只要你在太阳收敛最后一缕余光时跑回出发点，那些地就属于你了。结果那买地的人太阳一升就开始狂跑，因为他心里头只装着"多点多点多点"的念头，所以总不愿拐弯和回转，到他终于不得不跑回原处时，在离终点只有几码的地方，那生命的瓶子便爆裂了。我记得老托尔斯泰在这篇小说的末尾写了这么一句，算是回答了题中提出的问题："从头到脚，只需四尺。"那自然是按土葬的墓穴算，我们现代人实行火葬，所以现在来答还要再打折扣。

世界上身大富而心亦富的人，一般总把所赚的钱，大部分用于再投资而不是个人的奢侈性消费。现在且不去说他们，我们一般人的所谓富，只是追求个小康，追到头，无非是希望自己拥有一套或一栋住起来宽敞舒适的房子，或者还有一部私人小轿车，并且自己在工作期间和退休之后，都能负担起房子、车子和别的方面较为像样的消费，如此而已。在这样的人生追求之中，身富与心富应同步进行。

心如何富？我以为最重要的一条就是要读书，读正经书，读传知识的书，读美文。别看如今这世界视听文化如此之发达或者说嚣张，微电子技术无孔不入，计算机已经进入了家庭，但传统意义上的用纸印刷装订而成的书，至少在我们生命的存在之年里，绝对仍是最重要的文化载体，或曰知识载体，或曰富心的工具。

家里有书架吗？书架和书架上的书是"富有"的最古典也最新潮的典型标志。建议你读中外古今的文学名著，如今读巴尔扎克的《欧也妮·葛朗台》、狄更斯的《艰难时世》、托玛斯·哈代的《卡斯特桥市长》那样的书，应当感受更深，因为你会从中铭心刻骨地意识到，商品经济不可逃避，然而人性善美的光辉应超越商品经济而世代相传！

1993 年 8 月

# 算细账

向来有一种爱算细账的人。比如我以前有位邻居，每月收入还不足 100 元，但他家却有一账本，每月的细账不止一页，连打了 1 毛钱酱油付了 3 分钱传呼电话费都一笔不落地开列无遗。像他那样精打细算，把一家人的生活安排得井井有条，人见人羡，堪称勤俭持家的典型。当然俭到极端也就走向反面了，例如《儒林外史》里的那位临死时还挺伸着两根指头，直到家人懂得是必须将灯碗中的两根灯草灭掉一根，终于为他吹熄，他才瞑目的那位主儿，便成为世人嘲笑的吝啬鬼典型。

但在以往的计划经济体制下，许多普通人是不必也不爱算细账的。自己所在的企业是否赢利，产值是多少，利润是多少，虽然厂领导可能在大会上宣布过，却并不往心里去。就是亏损了，也与个人利益无大关系，反正是"大锅饭"，"大块地吃肉，大碗地喝酒，大戥子分金银"，人家有的自己必有，差别一般只在年头上，好在"年头"人人有得熬，干不干账一样算，所以倒也悠哉悠哉，别有一番轻松感。

如今这世道不一样了。从上到下再不能毛估毛算，亏损了不要说个体经济绝对吃不消，就是国有大中型企业，如今也要职工们共食苦果。所以算细账成了一种社会风气。如果以往谁爱算细账那是个人的性格和爱好问题，自己不算细账不但可以自在生活且可一旁嘲笑算细账的人们"抠门儿"，现在不然了。不会算细账的人不仅自己绝对混不成个样儿，社会也不欢迎粗粗拉拉的人。算细账，似乎应为每一个人必须具有的品质了。

一位经营服装辅料的厂主对我说，财富有时就产生于算细账的过程之中。他举了一个例子，他那个厂生产一种西服纽扣，好几年一直那么生产着，效益不错。最近细算了一次单个纽扣的生产成本，因为用了计算机，所以十分精确，才发现原来把小数点后面的数字一律都加以省略的毛估毛算方式，实在荒唐，因为那无形中等于提高了自己产品的成本，从而在投入市场时不能更灵活地使用弹性的价格竞争策略。现在他又采用了一项工艺革新建议，使每个纽扣的成本降低了1.8分，因为其年产量在1000万个左右，所以光成本就降低了18万元，加以投放市场的效应，最后估计仅此一项便可在一年之内多得20万元左右。他自豪地告诉我，在如今和以后的世道中，谁账算得越细，谁便越能取得最大的成功。

当然算细账并不一定意味着"正算"，即一味地节约开支、直谋收入，还有一种"倒算法"，即把该付出的正当开支付满付足。例如一位经营外贸的总经理告诉我，他以前跟外商谈判总不成功，很是纳闷，因为似乎一切良性条件都存在着……后来他发现自己的领带起了极坏的作用——他为节约也为了省事，总用那种简易的皮筋套环式中低档领带，因此很难在第一面时给外商以一个资金雄厚、信誉卓著、修养到家的好印象。因此，他从那以后便不惜大算细账——开列出一张清单，什么场合下该穿什么样的服装，系什么样的领带，不仅一一购置齐全，而且时时注意地道，比如晚上要出席一个酒会，那就一定要穿夜礼服式的深黑西装，配紫红色带斜条纹的高档领带……说来你也许不信，这么一来，他竟"战无不胜"，每次谈判总是从第一面起就让对方感到有一种不能不与之合作的魅力。当然，我想他提升自己的一定不仅是衣装方面，那一定还包括诸多方面的修养，我就知道有一回他借宴席上有一位交响乐指挥之便，细心询问了关于西洋古典音乐的一些知识，并在对方赠与的名片背后记下了几张人家向他推荐的激光唱片的名字。他那账一定算得很细——没几天在他家客厅里，音响中便传出了那唱片上的悦耳音乐。

自己算细账，促进自己发财致富；互相算细账，促使社会契约精密，有利于发展生产。希望我们全都学会算细账！

# 学会移情

　　最近有一个女大学生来述说她的困惑：军训中，她同部队的连长相处极好，以至后来兄妹相称；回校后，双方保持通信联系，但现在她感到铺开信纸无新的话可说，于是陷于两难情绪：写信吧，只能旧话重提；不写吧，又觉得对不起"哥哥"；她问：该怎么办呢？

　　这位女大学生，显然是一位纯真的、重感情的人；送她去军训而派生出"军民鱼水"以外的"兄妹情谊"，怕是各方面都始料未及的。正因为干哥哥与干妹妹的感情是纯洁的，所以时过境迁之后，干妹妹这方面如今对难以持续这种纯洁的关系产生了一种自责情绪——她心中感到不继续通信是有悖道义的。

　　我对这位女大学生提出的问题的回答，是干脆的：没什么可写的了，就别再写了；你中断了同干哥哥的联系，并不违背道义。你们在各自生活途程中相遇一段，相处不错，确是一件美事，但你们的缘分，从你如今提笔感到已无新的共同语言这一点可作出明确判断：也就到此为止，很多年以后，你也许会偶然想起他来，或对那时最亲近的人，或自言自语地说："唔，当年我们还军训呢，遇到个好连长呢……不知他后来怎么样了……"恐怕你说完不久，也就不再提起——而这对那位连长，我以为也就很够意思了。

　　人的一生，要和许多自己以外的他人交往；一般来说，人首先接触的是父母，对父母的爱心，应是保持得最久远的——但在当代社会中，子女成年之后，都势必独立生活，如果过了"而立"之年，都还把全部感情滞留在父母身上，特别是儿子恋母，女儿恋父，除此而外感情不能他移，那么，便是不正常，说严重一点，是变态表现，有时会酿成悲剧，正常的情况应当是，自己大了，有自己独立的事业，独立的家庭，感情当然要从父母那里分流，如果父母生活上基本安适，有条件的抽时间去看望看望，打打电话，一年里写几封信，或他们生日时和过年时寄张贺卡，也就对得起他们了。

人在长大以后，会恋爱，多数人会结婚；文字中有"初恋"这个词儿，并且是个温馨的好词儿，可见社会公认人是可以多次恋爱的，恋爱的感情尚且可以流动变化，其他方面的感情的冷化淡化和中止，就更不足为奇了，说到夫妻关系，能白头偕老固然好，但如果有一天感到没什么新的话好说，重复旧的又很尴尬，那么，好说好散不但不是不道德的，反而是很文明、很道德的——分手后也还可以保留一份美好的回忆嘛。

说到兄弟姐妹，今后的独生子女们是无法领会那份手足之情了，但凡是有亲哥哥亲妹妹的，一般来说，小时候固然耳鬓厮磨，嬉戏无忌，长大后也就各奔前程，各有家小，哪有几个在那儿不断写信抒情的？能一年里抽空写几封信互报平安的都未必很多，逢年过节互致贺卡，就算很重手足情谊了——试问，如果仅是一度相处不错的干哥哥干妹妹，分别后通了一段信，感到渐渐无话可说，便中止那联系，又何必背上自责的精神包袱呢？老实说，就是同胞兄妹，在互无恶意、只是各奔前程的情况下顾不上联系，久不通信，他们各自也大可心安理得。

当然，人在一生中，最后可能会沙里漉金般地结交一二好友，同那好友可能保持频密的联系，甚至于穿越波诡云谲的世道变迁而保持终生——但我们这里讨论的不是这样的人际关系，一个铺开信纸已然感到无话可叙的女大学生，显然不大可能同只相处了一段时间的仍在军营中的连长结成终生的友谊关系。

我要同这位女大学生和类似她这样气质的青年朋友说：要懂得，人与人之间，大体而言，是相伴只一程；你要谨防自己的感情发生无谓的滞留——换句话说，你要学会移情。

当然，要珍视感情，尤其是纯真的感情，不要亵渎它，但即使是纯真的感情，也有个防止滞留的问题，一滞留就容易形成"情结"——如"恋母情结""恋父情结"；少男少女还可能把感情滞留在学校里的某一位老师身上，或某一次集体活动中见到的某个知名人士身上，乃至于某位火车旅行中偶然相识的相处得不错互留了地址的旅伴身上；感情因滞留而缩为"情结"，因缩结而堕入"死心眼儿"，因"死心眼儿"而愁闷不已，那对自己的身心，是大大不利的；严重的，会发展为精神疾患。

所以我建议在尊重自我和他人的前提下，要学会移情——你的感情应当既提得起，也放得下，既不滥用，更不滞留，潇潇洒洒地在你的生活途程中和许许多多的人善意相处，永葆健康快乐的心性！

# 你的"针鼻"有多大

"富人进天堂，难于骆驼穿过针眼。"

据说《圣经》里的这个说法，翻译上有误，正确的说法应是"富人进天堂，难于缆绳穿过针眼。"不过这两个说法的意思并无本质的不同。

这里且不去讨论富人进天堂的难易问题；我想强调的是，针，总得有针眼；倘若全然没有一个眼儿，那么，便很难称为是一根针。

就我们生存于世必遇人际关系而言，我们的心针，必得有一针眼，有时人们又把针眼叫做针鼻，这"眼"和"鼻"的用途，便是供他人的形声气言如线般穿地，从而使我们得以将个体生命与群体生存的距离缝合。

有人常常怨叹：这世上为什么除了自己，还有那么多的别人？"别人"当中，亲友固然多半是好的，但人从进入幼儿园起，便不可避免要同越来越多的"生人"打交道，其中个别人或许后来会变成朋友乃至联为姻亲，但大量的到头来也只能算是"熟人"，再加上许许多多这样那样场合里认识后来又时不时见着的"半生不熟"的人，其中大多数就总觉得有毛病、不喜欢，跟他们接触、交往时，那心态就好比自己是一根没有针鼻的针，人家那根线无论多细多粗，死活不给穿过去。

这样的人对待陌路相逢者，那就一定更是冷冷清清、漠不关心、麻木不仁。

我认识的一个年轻人，他一天到晚总是郁郁不乐。我就问他："你为个什么？"当然那原因颇多，但其中很重要的一个心理因素，便是"我瞧谁都不顺眼！"比如，他就很讨厌他们单位传达室的那个老头。我批评他："你看不起劳动人民！"他反驳：

"你那概念太陈旧！我自己还不是卖劳力挣钱,大不了有个'白领'、'蓝领'的区别……我确实不为那个！"我猜:"他得罪过你？"摇头;我又猜:"他工作不负责？品质不好？"还是摇头;这我就不明白了！

到了还是年轻人自己把那原因郑重其事地说了出来:"他那副长相啊,就别提了！"

开头我只觉得好笑,但跟他一细聊,就发现他在人际关系上确实并非都以观点或恩怨为喜恶,除传达室老头外,还有更多的例子:

他讨厌图书馆的那位"徐娘",因为"身材那么糟糕,还非要穿连衣裙！"

他从不给资料员小汪笑脸,因为"谁让她的笑声那么难听,跟乌鸦叫似的！"

他特别不待敬一位副总经理,因为"又不是名牌大学出来的,讲英语何必拿腔作调,非追求标准伦敦音！"

他对同室的一位同龄人更是不能容忍:"一休息就看台湾蔡志忠的漫画,他读过雨果的《九三年》吗？"

……

就是那些跟他没直接关系的人,他也几乎都看不入眼;一部相当叫得响的电视连续剧,不喜欢就不喜欢吧,他一提起那男女主角,嘴角撇到耳根:"一脸的死肉！"说到一位极受欢迎的红歌星,他分明也常听她的歌,却没等你说出赞扬的话,鼻子里便哼哼两声,甩给你一句:"浅得不能再浅！"

我算他相当给面子的人了,但对于我,他也有这样的话:"过五十的人了,还吃爆米花,丢不丢份儿……"

我觉得这位年轻人,就好比是一根没有针鼻的针,当然他就这样过下去,也无大碍;文具中本有一种"大头针","大头针"没针鼻,却也有不可取代的功用;不过"大头针"发挥其功用时总不免要生硬地刺穿别人,而且当"别人"太多时,"大头针"就派不上用场了。

我觉得人生在世,除了大的原则,与别人相处时,无妨圆通一点,也就是说,我们的生命之针,还是应有一个针鼻。

不从大道理上说,单就如何使自己的生活更明亮、心情更开朗而言,就完全可以让别人的那些"线",顺顺当当地从自己的"针鼻"里穿过去,比如我那年轻的朋友,他如在自己心上开一"针鼻",那么,对于他原来讨厌的人和事,也许感受就会大不相同:

传送室的老头虽然长相丑陋,倒颇蔼然可亲;

图书馆的那位大嫂尽管不擅打扮,却也给人一个启示:时代毕竟进步了;那个"资料西施"的笑声固然难听,性格应该说还是蛮可爱的;

副总经理非死咬标准伦敦音,憨劲可嘉;

同龄人为什么那样迷蔡志忠?无妨借过一本翻翻;同时无妨向他推荐《九三年》与《百年孤独》;

电视剧无非那么一码事,他们当演员的也不易;

通俗歌曲嘛,何必要求人家像交响乐大曲那么深刻;

五十岁的人爱吃爆米花,真逗;

或者那"针鼻"更简单些,每当自己对别人厌烦时,便在心里对自己说:他的存在又不构成对我的威胁,我干吗见不得人家哩!

其实,还可以把"针鼻"开得大大的,反过来想一想:别人对自己,又何尝会都那么满意哩!自己的长相、身姿、谈吐、性格、穿戴、能力、水平、习惯、爱好、前景……不是连自己有时也不敢恭维吗?

这个世界不是单为我一个人而设置的;别人不仅有与我相同的生存权利,而且别人在不妨碍我个人更不妨碍公众利益的前提下,采取什么样的生存形态和方式,我完全用不着动用我的感情去加以反应——这应是一个标准的"针鼻"。

有了这样的"针鼻",我想那位年轻的朋友起码不会再那样沉郁。

在我们生命的"针鼻"里,任更多的"他人之线"轻松地穿过吧!

至于"缆绳"或者"骆驼",当然,要想穿过我们的"针鼻",那确实应该如同"富人进天堂"般艰难到不可能的地步。

# 燕子何来呢喃声

用"呢喃"形容燕子的叫声,由来已久,似乎已成为"天经地义"不容置疑,然而我不禁要问:燕子的叫声,听来真有"呢喃"的感觉吗?

如今北京的春水中还浮着残冰,尚无归燕的身影,但江南春早,想来石头城内外,已是群燕翩飞,敢问金陵朋友——哪只燕子的鸣叫,声近"呢喃"?

燕子的叫声,如用形声字表示,"吱吱"、"唧唧"、"啾啾"都庶几近之,但无论翻开现在的小学语文课本,或当代诗人的诗集,"呢喃"的"燕鸣"却俨然在,不知别人怎样,反正我一旦细想,耳感便顿觉失真。

或许有人会说,"呢喃"未必是形声,而是一种形容——因为"喃喃"常用来表示人与人之间的一种亲密私语,以及孩童的天真学舌,燕子与人,形同密友,而娇憨之态又绝类童稚,所以把燕子的叫声形容为"呢喃",并无不妥。但这一解释,既缺乏典籍上的根据,从逻辑上也显得牵强。

问题不在于用"呢喃"标志"燕语"是否妥帖,问题主要在于:为什么我们今天写文章的人,总盲目沿袭这一明明大可质疑的表达方式,而不能为燕子的鸣叫声创造出更恰当也更生动的符码?

当然,语言是用于"听",而文字是用于"看"的,但"看"有默阅与诵读两种方式,我敢说即使取默阅法看书报的人,他遇到关于声音的描写,总还是要在心中下意识地将那些"音响"还原,在耳朵里放送"回环立体声"的。

唐代大诗人白居易的《琵琶行》,摹写了琵琶高手的弹奏声,"间关莺语花底滑,幽咽泉流水下滩",这是高明的写法,从一种意境,导引读者去寻求声音以外的美感;"大弦嘈嘈如急雨,小弦切切如私语。""嘈嘈切切"是直接形声,老实说,美感就差了,"大珠小珠落玉盘"一句,常为历代论家赞许,但我有一位朋友,在工艺美术商店工作,他有一回就当着我和别的一些人,用一只上好的玉盘,接承从他双手中陆续撒下的大小珍珠,大家听那声响,老实说,都不敢恭维,离现代人心目中的乐音,差得太远了!至于"银瓶乍破水浆迸",当然不好照方实验,但将一只啤酒瓶掼于地下,那效果应颇相近,敢问读者诸君,好听么?美么?妙么?

白居易的笔,算是如椽大笔了,直接写声,亦难乎其难,所以历代诗人,多避免直接形声,初唐李颀写《听万安善吹觱篥》有"枯桑老柏寒飕飕,九雏鸣凤乱啾啾"两句,"飕飕"、"啾啾",到底非悦耳之音,所以往下他赶紧闪开:"龙吟虎啸一时发,万籁百泉相与秋","虎啸"或许有人听见过,"龙吟"何声?到后面他干脆以一句"上林繁花照眠新",把听觉上的事儿,移到视觉上去。我们读其诗,反倒觉得有味了——真乃"此时无声胜有声"!

诗文中的声音描写,是一大话题,亦是一大难题。我只企盼石头城中的方家,能在燕子矶边获得灵感,为我们创造出令现代读者眼耳心神均为之一快的"燕语"新符码!

1993 年 3 月 21 日

# 名牌与档次

说起名牌，人们往往不由得联想到高档；当然，世上许多名牌都是高档货，一提及那牌名，若干消费者便不由得眼前发亮，心生敬畏，或欣欣然欲一掷千金而获取之，或顿感囊中羞涩而望洋兴叹；但名牌其实非高档所专属，中低档的商品，亦可创名牌，并享誉长久，为生产者稳赢利润。

我是四川人，川菜是中国吃文化中的名牌，当无疑义；但细想起来，川菜中许多催人涎下的品种，都绝非贵重原料制成，如麻婆豆腐、夫妻肺片、水煮牛肉、棒棒鸡、担担面、赖汤元、钟水饺、叶儿粑、龙抄手……固然都极家常，就是三鲜锅巴、毛肚火锅、酸菜鲜鱼火锅、樟茶鸭子、夹沙肉……充其量也只能算是中档菜，真正高档，能与比如说粤菜中的生猛海鲜、鲁菜中的山珍海味、淮扬菜中的湖蟹燕窝相抗衡的，其实不多；川菜的以中低档为主而流布全球，享誉中外，蔚成四月蔷薇处处开之势，颇能给我们一些有益的启示。

在时下商品经济大潮的涌动中，许多商品生产者欲创名牌，其志可嘉；但似乎有一种倾向，就是大都奔着高档去，心目中以大款大腕或收入并不丰而硬撑阔气的大傻帽为销售对象，所以广告越做越堂皇，广告词也越来越脱离一般消费者，我不知道其效益是否一定不好，但我想那种名牌的市场一定不会宽阔，只要有十个以内的厂家去争，就不可能有六家持久；聪明的厂家，他即使不一定搞低档产品，也一定会搞一个从中档经过中高档、高中档到次高档、准高档到高档、超高档的名牌系列，而且，最聪明的，往往还是那些不放过低档的厂家，原址在北京东安市场的清真饭庄东来顺，其第一代创业者丁氏，是以馄饨摊起家的，他的发达，原由之一，就是所卖的馄饨料足味美，不以薄利多销为厌，后来他赁屋起店，店外仍设馄饨摊，再后来他买下地皮盖起豪华饭庄，仍不取消那馄饨摊，而且馄饨越见鲜美量足汤浓色正，这样就形成了一个东来顺的名牌系列，从低档的小摊馄饨到楼下堂座的大众火锅到楼上的雅座涮羊肉以至最高档的一品火锅，引来自社会底层到豪门权贵的一致口碑，生意自然久旺不衰。

忽然想到，前些时有个搞社会学的小伙子跑来问我，为什么一些偏僻乡村的老农，有的连当代最红艳的明星也一无所知，却偏偏知道梅兰芳？梅兰芳的戏他们一出没看过，而且梅兰芳去世已三十来年，梅兰芳这个"名牌"何以普及到了这种不可思议的程度？我们一起分析，找到一个解释，就是当年推崇梅兰芳的那股势力，他们是无孔不入，不以宣传到下里巴人中为厌，而梅氏自己，亦绝不放弃低层次的艺术消费者——他总是积极组织参加种种义演，赈灾的，赈贫的，济残的，济同行中的落魄者的……那种场合他往往一反豪门堂会与高档演出中的贵族气派，绝上不诸如《黛玉葬花》《天女散花》一类的戏码，而是随俗演出一些热闹戏，或反串一通以博一笑，所以，他的名气，就大到了那样的程度，真是雅俗共识，人知人敬。

由于自己的经济状况不可与大款们同日而语，所以对所谓精品、极品的名牌商品，如意大利杰尼亚牌衣衫，我是连洋也不望的，叹自不兴；但我也不甘邋遢吝俭，穿衣有时也颇爱置备一些名牌，大抵是根据自己的经济能力和爱好，取雅而挺括的中档名牌货，如1989年春天，我就在香港的正宗鳄鱼店里买了有那名牌标志的 T 恤、毛背心、套头衫与茄克衫，回京以后，少不得穿上身，入社交场，博得一些同行的善意调笑、一些懂行的年轻人的羡赞，自己也觉得既体面又舒适。名牌确实是一种文化，文化人使用名牌，也许比其他人能更恰到好处。

中国的新一代实业家和商人们面临着绝好的机遇，可以开创出许许多多从低至高的系列名牌，我们消费者殷殷期待着！

# 断 语

最近在一家报纸上看到一篇谈文学轰动效应的文章，末尾说："翻古今中外文学作品，一般来讲，凡轰动的便不传世，凡流世的难以轰动，谁有时间谁去查！"我属于没有时间去查的人，但不去查，也就不难举出古今中外许许多多的例子，证明轰动与传世并不相悖，如李白、杜甫的若干诗篇，一写出便轰动，轰动后不是一直流传到了今天么？再如德国歌德的诗剧《浮士德》、俄国列夫·托尔斯泰的长篇巨制《战争与和平》、法国雨果的《悲惨世界》……都是刚一发表便轰动，轰动后传世至今，估计以后也还会流传；本世纪以来，如苏联米·萧洛霍夫的《静静的顿河》、我们中国鲁迅的《阿Q正传》、英国萧伯纳的《卖花女》、美国海明威的《丧钟为谁而鸣》……乃至老舍的《骆驼祥子》、曹禺的《雷雨》一直到哥伦比亚的马尔克斯的《百年孤独》，都是发表顺利，甫出便红，好评如潮，轰动持久，载入史册，久传无疑的。

这里不想就文字的轰动与传世发表什么意见，这里只想指出，那篇文章末尾的句式虽然嵌入了"一般来讲"四个字，但仍属于一种典型的断语。

断语至少有下述几个特点：一是带有终审裁决的威严，面对断语人们常有"不得上诉"或"上诉驳回"的感觉；二是带有最高哲理的光芒，俾使人们不由得目眩心仪；三是语简气粗，明快有余而悭于宽容；四是说者痛快淋漓，心舒气畅，而听者却往往不免有受诲拒悟且顿觉不快的心理反应。

断语有时确是颠扑不破的真理，换句话说，真理，或真知灼见，有时确可用断语的形式来表达，如"珠穆朗玛峰是地球的最高峰"，"三点决定一个平面"，"诺贝尔文学奖由瑞典学院评定"，等等。

但随着人类认知的推进，"真理是单纯的"这一命题似乎就越来越显得片面了，在自然科学领域，分支愈见细密，新说歧见丛生，要阐述一个独特的发现发明或理论体系，你就必须使用既不能含混也不能武断的冷静的往往是不得不严加界说的复杂句式和文本；社会科学领域更不消说，比如关于社会主义，谁能遽作断语呢？我们强调中国特色，也就是清醒地意识到，不仅不能动辄就"中外古今"一揽子地断言什么，就是只论当前，也只能在实践的基础上一步步地调适推进，万不可"一言以蔽之"后便宣布"止于此"。

我有一种感觉，就是我们国家若干年里，断语似乎特别多，不仅报刊上多，生活里人们说话也颇富断语，想想自己，也是一个不知不觉中就说了若干断语的人；断语的丛生，可能反映出我们的一种"集体无意识"——尽管我们也常把"这只是一家之言"、"欢迎争鸣"等等碎语嵌入其中，但心理上，还是强烈地要求别人来和自己认同，我们报刊上的争鸣，往往体现为是非、好恶、妍媸两极断语的陈列，或加上一点折中调和的允论，很少出于自说自话不求认同的心理原态而发的灵语。

"文革"中，江青是一个断语连串的人，"×××是坏人！"×××立刻遭殃；"评弹嗲死了！"一种艺术品种马上被取缔；"文攻武卫！文攻武卫！"武斗狂飙旋即席卷神州大地；我们也别把恶性断语的心理偏斜都当成反正已经"嗝儿屁着凉"的江青个人的特征，那年月里，被运动的广大革命群众，在发明使用断语方面也达到了空前的水平，如一派大叫"好得很！"另一派便大叫"好个屁！"更简化为"好"派与"P"派——这"好""P"两个派称双方和他人都承认，是约定俗成的断语符号。

个人说话，使不使用断语，我想应有充分的自由；倘若江青没有后来那样的身份，只是一个一度争演赛金花失败而演了些别的什么角色的艺人，那么，她的爱作断语，就仅是个人性格展露而已，于他人社会无大碍的；但负有具体责任特别是重大责任的人士，就涉及他人和群体切身利益的问题表态时，似应慎用断语；如果断语成风，溢满社会，构成一个"断语时代"，如"文革"期间，那就一定是群体的盛大悲剧。

我的总体感觉，是我们有望进入一个非断语时代——个人谁爱使用断语尽管去用，但大多数人宁愿使用比较谨慎、复杂、客气、精密、诙谐、圆通的语体，来进行人际沟通，我们不一定非要争着鸣叫，我们松弛地自鸣，那和音，不更悦耳吗？

1993 年 5 月 6 日

# 莫耐寂寞

"耐得寂寞"的提法这些年十分时髦，无数的文章要求作家"埋头写作"，画家更应该坚守"五日一石，十日一水"的古训，至于已经离休退休的老人，如果显得活跃一点，比如参加一些演出，甚或在电视广告上亮相，那就很可能招来讥评："呵呵，就那么耐不了寂寞么？"

寂寞是一种心境，其核心是个体生命的孤独，面对不能与他人沟通的困境，有时虽身处热闹场中，却甚感隔膜，即使伟人、贤者，大腕、大款，亦难免一时陷于此种心境；就寂寞感的普天之下人我皆备这一点而言，说几句"应当耐得"，未为不可，确实，任何难以避免的事物，我们必须坦然面对，例如我们的自然身高，倘若过矮，尽管可以用穿高跟鞋的办法稍加补救，却不可能根本改变，难道我们就因此不过了吗？"耐得身高"，这时就是一句好话，寂寞感慨然已经袭来，为防止它转化为烦躁与焦虑，拈出一个"耐"字，以便冷静面对，情有可原。

但问题在于，我们把"耐得寂寞"当做"口头禅"以后，是否有意无意地把寂寞当成了一种美境，把浸泡在寂寞中自我消遁当成了一种美德？

人生在世，只面对自我心灵，不去与他人、群体、社会交流，并达到怡然自得的境界，虽前有老、庄的国粹导引，后有"存在主义"等洋哲学启示，力吐禅定、气功等等修炼方法可供选用，在当代社会中，能身体力行、持之以恒、终获成功者，毕竟寥寥无几，绝大多数如我辈凡夫俗子者流，是不能也不必逃避他人、群体和社会的，当我们感到与他人难以沟通、为群体所不能理解容纳，甚至于与迅猛变化的社会生活格格不入而感到寂寞时，我们的精神处境，不能说是一种美好的状态，对于此种状态，"耐"是一种消极，"不耐"才是一种积极。

不错，追逐热闹有可能流于庸俗，但排拒一切热闹更有可能陷于怪癖，咀嚼寂寞而甘之如饴，就个人而言不失为一种无可指摘的活法，放到伦理的范畴里考察，恐怕很难视为美德。

几年前，我写过一篇《寂寞的价值》的文章，在那篇文章里，我宣称"寂寞，是一种高尚的心境"；又说"需要有健康的寂寞感"；那正是我个人深感寂寞才写出的文章，我袭用了"耐得寂寞"的前提，但整篇文章其实充溢着"不耐"的潜语，说寂寞"高尚"，无非是痛感某些热闹场的庸俗；渴望"健康的寂寞"，其实是意欲冲出寂寞，以良知的呼号拨动他人的心弦，达乎个体生命与他人与群体的理解和谅解，进入到非庸俗的热闹中去……

关于"寂寞"的文章，已经太多，多到我们必须从反面加以思考的地步；特别是面对市场经济大潮涌动，即使不妄想发财，只想保持并尽可能提升自己的生活水平，那也必须更多地投入社会，必得与更多的他人打交道，生存方式如一味地"寂寞"，那真是成了一种奢侈；而市场经济的大热闹，却又会伴之以"在商言商"、重利轻义、人情浇漓，从而造成个人内心更多的寂寞，如取"耐"的态度，那么或者把自己变成一具赚钱机器，或者积蓄为一种阴郁心理，都非良性状态；我以为越是面临此种人文环境，越应对寂寞取"不耐"的态度，其中最要紧的，是两条：一、对自己喜欢的亮相于他人和社会的事，爽快地投入，以抵消那些不喜欢但不得不投入的事带来的紧张和焦虑；二、在茫茫人海中一定要找到几个真正的朋友，与他们达到畅快的心灵沟通与相互理解。

也许有一天，又一轮时过境迁，"莫耐寂寞"的说法令人生厌，大多数人又发现"耐得寂寞"是一种不仅高明而且美丽的说法，重新引为圭臬，那也好，我们又有文章可写了——天下的文章，真是不过在那里转来转去么？

1993 年 3 月 7 日于北京绿叶居

# 话说沉闷

尽管当今的社会生活变化迅猛，五光十色，但作为个人情绪来说，仍会时有沉闷之感。

沉闷感，或简称闷感，是一种没有杀伤性但也绝无趣味与快乐的情绪状态。

据说国外时有与"最佳"、"最有趣"的评选相匹配的"最乏味"、"最闷"的人与作品的评选，前些时美国就好像评出了十位"最闷"的人物，记得上个月的《新民晚报》上有条消息，说是我国上海也有人评出了"最乏味影片"，一部法国片和一部西安电影制片厂拍摄的片子双双入选。

"乏味"、"无趣"、"闷"，与"恶劣"、"恶心"、"臭"还是两回事。沉闷的状态一般来说绝非恶性状态，闷感亦非愤慨、忧伤之类的情绪。

闷，往往体现于一种不能引出新鲜活泼的新事物新局面的过分"中规中矩"、"四平八稳"的状态。

闷，往往由一种对是非善恶虽有所区分但界限模糊无所举措的中庸将就的态度生成。

沉闷，其含意应是"闷"这种状态达于相当程度并滞留时间过长。

沉闷有时如同宇宙中的"黑洞"，能将人的锐气与急迫感吮吸进去，在"平安无事"中，消弭了进取与革新。

一部沉闷的文学作品，可能不仅主题正当，而且结构严谨，文字流畅，但它毫无创意到甚至连"漏洞"都没有的地步，那令人厌倦的程度，说实在大大超过一部内容荒唐、漏洞百出的消闲读物。

一部沉闷的电影，可能不仅没有粗制滥造，而且拍摄精心、画面均衡、剪接无误、头尾相应，但它往往迫使观看者以其耐心作为昂贵的代价终于卒看，如此特性又是胡编乱造令人断然拂袖而去的破电影所不具备的。

一个"闷人"，则可能从相貌、衣着到举止、言谈，都无可指责，但思想无新意、行为无光彩，与之相处，不能得益有助，倒也无害无累，友之不愿，厌之不忍，真真是反不如面对一个"对头"，倒能调动起自己的勃勃生机。

有人说，应"打破沉闷"，但沉闷是打不得也破不了的。你可以打敌人、破阴谋，你怎能打闷人、破乏味？有人说，应"冲出沉闷"，但当沉闷浓酽地包围着你时，你想冲出又谈何容易？

但沉闷不可能非常之持久，却是可以断言的，因为沉闷只是我们生存的宇宙、世界、社会、人类、他人和我们自己在运动过程中的一个节奏较为缓慢的过渡性阶段罢了。运动是永恒的，因而前进乃至突进，都是一种必然，怎会持久地沉闷？

一个总写沉闷作品的作家，要么他到头来终于超越沉闷，要么他那样的作品将被社会拒绝；一个拍乏味电影的导演也是如此；一个闷人也许会终生不改其闷，但他在社会上的位置，必将移动，社会不可能长期容忍一个闷人占据着，关碍着社会总体景观的坐席；当然，更大的可能是闷人自己终于走出闷境。总之，沉闷必引出厌倦，厌倦发展到厌烦，那就比批判、排拒乃至于革命都更具推动力，可促使从一事一物一人一群，直到全社会的大变化大转型。沉闷可厌而不可怕。沉闷之后，必是大活跃大欢喜。

1993 年 4 月 12 日

# 你要有通感

经常有编辑来约稿，除了要稿，往往还要我的照片，这也是近年来报纸副刊和杂志为了搞活版面的惯常做法；要照片时，照例嘱咐："给生活照，生动点的！"但我近年来没拍出几张够得上生动的生活照，给来给去的，也就没得给了，于是最近再有要照片的，我就想出了一个取巧的办法——给他们一张我自己画的漫画像，现在这篇文章也配发了一幅，但愿读者们看了忍俊不禁。

我的正业，应算是卖文为生吧，用文明点的词儿，是搞文字工作的，之所以至今还能文思汩汩，因素当然很多，而其中的一个因素，我想大概是还保持着比较蓬勃的通感吧。

所谓通感，就是能把一个领域里的感觉，自觉地通融到另一个领域中去，从而使思路活泼起来。我这一说法大概不符合美学专家们下的定义，好在我写的是随笔，不是论文，读者们当可通而融之，姑作参考。

我所说的通感，是自觉或至少半自觉的通感，由语言习惯构成的思维通感，那是我们每个人都有的，比如我们中国人特别看重吃，我们的思维中，常常把许多其实与吃无关的事，都通到吃那里去——如"吃官司"、"吃黄牌"、"吃一堑，长一智"等等，我们评论任何事物（人的长相，一次旅行，一本书，一件美术作品，一台戏，一部电影或电视剧），几乎都可以用"有味儿"或"没味儿"来作评语，这类的通感，是受传统熏陶，无师自通的；有的人会许多手艺，如能写文章，会书法篆刻，会画国画，但人家还是说他弄出的东西"匠艺"，我想那原因，就是他虽在不知不觉中有一些各领域之间的沟通，但不能自觉地以一门为主，自觉地去寻求通感；我这样说，并不是自诩为"通人"，我只不过是越来越强烈地意识到，需要自觉地提升通感罢了。

我以前写小说，总写得比较"满"，后来常带着这个问题，去揣摩国画中的大写意的技法，再写小说时，笔下就有了一种"计白当黑"的"留白"通感，对于自己有意略去不写的"内容"，颇为得意。我现在画出的漫画像，也用了此法；我的家居布置每隔一个时期就刻意作一次摆设品的减法，亦由此通来；我小时候看风景，只会欣赏那种触目惊心的奇景，后来常听交响乐，有一回面对着似乎平淡无奇的田野，我便调动起通感，把那不同层次的绿色，配合不同明暗的光影，在自己心中鸣响起一阕无音有韵的《绿色交响乐》，那时我处于苦闷期中，通感也成为我心灵自慰的绝好方式。

我和读者们都处在社会大转型中，也许有许多的例外，但也一定有许多的读者和我相同，那就是在这大转型中时常出现心理危机，而克服心理危机的方法之一，便是能自觉地发挥通感——那不是逃避，而是消化。更不消说，通感是我们推进事业的一大利器。愿你有通感，一通百通！

1993 年 6 月 12 日北京绿叶居

# 疲惫美

朋友 F 君的照片登在了报纸上，他并非演艺圈中人，也非所谓大款，报纸登那照片，只不过是配合一次关于某电视剧的讨论，在每一位发言者的那段发言旁边附一张头像罢了；谁知过了几天，便有读者给他写信，后来越积越多，竟有一大摞；由于他一封不回，到最近才大体中止。报纸登发言时，在每个发言者名字后附上了单位名称，意在展示所邀请的范围有多么宽泛，这当然为读者直接给他写信提供了方便，但他那单位，在商品经济大潮涌动的今天，按说也构不成什么引人注目的背景；他的发言没有什么棱角，所以来信也大体并非是同他就电视剧争鸣；那么怎么会有如此多的来信？后来他对我透露：来信者多为女性，而其中不乏坦言喜欢他、欲同他交往者，这里不拟就摩登女性的开放度作什么评论，只是想探讨一个朴素的问题：F 君何以大得青睐？且不说他绝非美男——既不"奶油"更不阳刚——那报上登出的照片是报社记者当场抓拍，依我看来，拍得极糟：他老兄就跟没睡醒似的！

前两天恰好那家报纸的编辑来我家约稿，是一位穿着打扮极"前卫"的青年女编辑，谈吐也很"后现代"，我就将 F 君的事询之于她，她笑说："哎呀！连我也喜欢他！你不懂吗？他富于疲惫美！当代事业型男子的魅力，集中体现在自然而然流露出的那份疲惫的情态上！你们这些落伍者啊，光知道奶油型的男人不时兴了，还在那儿一个劲地呼唤什么阳刚！现在光阳刚也不灵，光阳刚，那是有'力'而无'魅'，你们男人除了阳刚以外，得有股子创造力充沛，而且在发挥到淋漓尽致以后，一副疲惫而洒脱的模样儿才帅！……"

　　女编辑的一席话，听得我直发愣，人真是得活到老学到老，我也不过是刚过半百，按说还轮不到我称老，但我已感到自己的思维难以追上如此的审美新潮，"疲惫"竟也构成了一种美！

　　这两天我还不时回味着那位女编辑的指数，虽然我实在还是对 F 君的那副瘦干脸儿上的表情组合生发不出美感来，但对"疲惫"状态的尊重，倒由此增加了几分，我想在这社会大转型的历史时期，确有许许多多的男子汉一天到晚不停息地在为正儿八经的事忙个没完，你如果问他们最大的愿望是什么，他们往往会脱口而出地答曰："美美地睡一觉！"在有的场合，出于事业需要，他们很可能衣冠楚楚，谈笑风生，满面放光，妙语连珠，但一从那场面、台盘上下来，他们松开领带、仰靠沙发的一瞬，那种疲惫的神态，我们同性者望去可能仅止是同情地一笑罢了，让那感情细腻的女性看到，由怜生敬，由敬生爱，也是可以理解的。F 君把公务后却之不恭的电视剧讨论会权当松弛一时的机会，没想到一露疲惫之相，竟获大批女性青睐，也真是"时势造英雄"。

　　对"疲惫美"的欣赏，其实是驱策男人们更加地为事业"卖块儿"，所以我笑对 F 君说："你别得意！这种摩登审美观，可是一根无形的鞭子啊，小心把你抽瘪！"

# 色情与情色

色情不消说是一个贬义词，一般说来，色情即黄色即淫秽即下流即无耻，而且往往导致犯罪，色情是所有正派人所反对所厌恶所摒弃的。但现在出现了一个新词——情色，看起来只不过是两个字倒换了一下，却似乎是发生了质变，比如最近看到《文艺争鸣》杂志上就有一篇论文，题为《当代台湾文学中的情色主题》，这绝不是一篇"扫黄"的檄文，而是向我们认真地介绍台湾文学作品中的一种题材和主题取向，所涉及到的作家与作品颇多，如白先勇的《永远的尹雪艳》，王拓的《妹妹，你在哪里》，李昂的《暗夜》，黄春明的《看海的日子》，张爱玲的《花凋》，苏伟贞的《陪他一段》……这些作家与作品，在台湾都是被视为上乘的，我们这边也都介绍过，评价一般也颇高；当然对这些作品也有争论，但还没有人指斥它们是诲淫的色情之作。

情色一词，先在台湾流行，现在大陆也渐渐传开，依我看来，情色的含义，大体是指涉及到性，却并非以性为挑逗手段，来煽动读者的生物性本能，以满足卑下的发泄欲，而是透过这一无可完全回避的人生领域，从中引发出对于社会、伦理、道德、人性的思考，并且在表现手法上，亦追求一种艺术的美感。比如说，过去有部叫《肉蒲团》的小说，虽然开头结尾戴帽穿靴，表示要劝读者戒淫忌秽，但其实是津津有味地搞淫行大展览，文笔粗糙，无艺术性可言，应该说是一部色情之作；《金瓶梅》呢，则既有色情的糟粕，也有更多地透过人物的性生活反映出时代、社会、经济、政治、风俗、人性的有价值的部分，而且文笔极为生动，有很高的文学价值，所以又可以把它视为一部经典性的情色小说；《红楼梦》写了性，却不是光写性，《红楼梦》不仅不是色情作品，也不能概括为情色小说——但《红楼梦》又确有相当的情色成分。近些年我们文坛上有一些作家特别是青年作家包括某些青年女作家，我以为他们也在有意地尝试情色题材，比如我认为刘恒的那篇后来由张艺谋拍成电影《菊豆》的小说《伏羲伏羲》，就可以算是一个在情色题材开掘上获得成功的显例，他透过性，沉痛地批判了黑暗的封建宗法枷锁对无辜的活泼生命的窒息，而且文笔精致，据之拍成的电影更是精心之作，表现出中国大陆三十多岁的一代作家艺术家那喷溢的才华。

但色情与情色的界限究竟在哪里？我们知道，西方一些国家，虽说是色情泛滥，却也都立下了有关法律，像我国近几年某些在个体书摊上发售的那些私印的黄色书刊，他们那边当然有，而且是有过之而无不及，不过他们的法律规定，色情的印刷品只能在指定的地方卖，不能卖给未成年的人，并且不能让不喜欢它厌恶它的人被动地入眼——所以有的西方国家的公共场所，如飞机场火车站一类地方，是禁止出现任何形式的色情符号的，因此当他们那边来旅游的人，看到我们有的书摊在热闹的有少年儿童活动的公共场所毫无顾忌地展示色情符号时，反而对我们的"色情消费"如此公开与坦然大表惊奇；这当然是误会，我们国家从有关部门到大多数民众，都是反对色情的，"扫黄"是得到社会大多数人拥护的，那些非法的以色情和暴力的展示挑逗煽惑，而且往往是印制得极为粗劣的书刊遭到查收，有关炮制者遭到查究，也是罪有应得的。不过，随着我们社会生活的日益复杂化或者说多元化，情色将会越来越多地出现在文学和其他文艺品类中，光靠评论来分辨情色与色情是不够的，靠搞运动式的查抄严打对付色情也只能收一时之效，而且也难免将情色与色情"一锅煮"，因之我认为，世态的发展呼唤着有关的立法，当然立法也不是万能的，但有了游戏规则，总是好事：情色之作可以正常地存在（但也应受一定限制，如保证"未成年人不宜"得以落实），色情的东西至少不至于泛滥。

# 泼斯特

人类真是被一切事物抛弃了——起码西方尤其是美国的一些大学里的时髦理论似乎立足于这一前提，所以动辄用 POST 什么什么来命名他们的理论，继"后结构主义""后现代主义"以后，最近又听说"后殖民主义"甚嚣尘上。他们也爱管我们中国的闲事，七十年代后，他们就称中国进入了"后毛泽东时代"，现在又在 POST 什么时代的新论；这里不去讨论他们那些五花八门的理论，只是想指出，他们的种种"泼斯特理论"，基本上甫出不久，便一定会流入中国，而最常见的移植模式，是先介绍西方的"泼斯特"某某理论的大意，然后回答"该理论只适用于西方世界吗？"这一问题，作出否定的回答后，便会举出若干例子，如某某某的某某作品……便是"泼斯特"什么在中国的突出表现，有趣的是，不同报刊上的不同作者的这类文章，往往开列的例子十分雷同，有时连排列的顺序都基本一样。

我对林林总总的"泼斯特"理论兴趣有余而所知极其有限，误读更属必然；我对把种种"泼斯特"理论及时介绍到中国的人士，心存谢意，哪怕他们的文章使我感到生硬牵强；但我面对着"泼斯特"，总生发出一种超出那理论的思绪——难道人类真是已然达于群体生存的波峰，再发展，只能是往下滑，因而必得把那波峰作为不可回避的标识吗？

"泼斯特"，什么什么的理论命名方式，不管在西方文字里韵味如何，译为中文以后，总给我一种带有悲味儿的感受，悲观？悲伤？悲凉？悲怆？悲痛？悲壮？……这当然是非理论的联想，一定令理论通家齿冷，然而在我，却是极其认真的。

细想起来，人类虽仍属幼稚，究竟那文明史也有好几千年了。以前的人类，即使在最狼狈的时候，似乎也不曾流行在逝去的事物前加一个"后"字，以标识自己仍要生命其中的时空的——因为就人类而言，无论如何，前面的时空要悠远宏大得多，因此那前行路上的界碑，真是没有必要都涂上一个"泼斯特"。

"泼斯特"什么一类的理论，在西方一般来说，多是出于新锐之口，在保守的老一辈眼中，他们是具有颠覆性的讨厌鬼，而在青年人当中，特别是大学生当中，他们却大半是魅力十足的偶像。细品他们的理论，你会发现他们对西方资本主义的批判，是十分严厉的。"后现代主义"的一个考察点，就是西方跨国公司的出现所带来的历史感和民族性尤其是个人意识的消弥；"后殖民主义"更架构在对西方几百年殖民史的无情批判上，刻意要改写所谓西方人"发现新大陆"的旧史，为第三世界的人挣出一套独立的符码来。他们的用心可谓良苦，意蕴可谓深远，然而依我看来，太"世纪末"，太"止于此"，他们在批判了旧事物的宰制性同时，自身又暴露出太多的宰制欲。

正在逝去的二十世纪，曾有过辉煌如电的形而上，如今却如电闪雷鸣已过，当然还有华灯，有明烛，然而可以坦承：新的电闪雷鸣，经过一段积蓄，必将于二十一世纪展现，那时蓦然回首，则如今的种种"泼斯特"理论，便都是爝火吧？

1993 年 5 月 9 日

# 辞帝就宾

"辞帝就宾"这话是一位老者对我说的。

刚听到时我也纳闷：何意？

老者刚从一新开业的商场出来。他说，"顾客是上帝"这话对许许多多的中国售货员实在起不了什么良性的作用。他刚领略到的对待便是一个明证。其实不如提出"售货员是天使"的口号。但无论是"上帝"或"安琪儿"（天使），因为绝大多数的顾客和售货员都并不是基督教徒，也并不熟悉基督教文化，因此唤不起什么联想，升华不出什么神圣感来。更何况我们以往有一首不仅人人会唱而且也人人视为经典的歌，那里有一句"从来就没有什么救世主，也不靠神仙皇帝"，极为深入人心，"救世主"不就是"上帝"的别称么？唱了那么多年，归魂入魄，又怎么能把来买东西甚至是只来逛逛看看什么也不买的顾客冬然当作了做"救世主"呢？更何况这歌现在也应该唱，这样的歌声笼罩下提出"顾客是上帝"无论如何是不得体的。

老者的怪论我只视作牢骚。"牢骚太盛防肠断"，我以为应少从反面发牢骚而从正面提出建设性倡议，便问：你不愿视为"上帝"，那么，愿被当做什么呢？

老者说：愿他自己和所有顾客，都被当做"首长和外宾"。据他的经验，一家商店凡有"首长和外宾"莅临，服务态度总有相当提高，有时竟会"达到并超过国际先进水平"。当然啦，近些年来，一般的"首长"似乎有些个失宠，但"外宾"却越来越招人爱。所以，思来想去，他欲"辞帝就宾"，就是说希望诸位售货的"安琪儿""千万别把我当上帝，只求把我当做一个外宾"。当然，"外宾"如今也"鱼龙混杂"，老者补充说，他所期望的，并不是把他当做例如俄罗斯或东欧"洋倒爷"那样的"外宾"，而是兜里揣着 USA 卡之类玩意儿的"正宗外宾"，最好还是"外商"，也就是说倘若售货员得罪了他，他就会放弃与该商场后面的经济集团贸易或投资的打算，那么，经理对一个失职的售货员的处理，必定会使其他所有想留下的售货员心存铭心刻骨的车鉴，那后果是"得罪上帝"的"小过"所导致的"扣发当月奖金"所无法比拟的。

但"顾客是上帝"的口号，据传来自日本，日本也并非基督教文化的国度，何以如此标榜？我求教于老者，老者笑说，这其实恰是日本人的狡狯处，日本一般人都是东洋文化的产儿，"上帝"便隐含"西洋人中最顶头的主儿"的意思，日本在第二次世界大战后，很仰承美国的鼻息，也曾有过一度崇尚西洋的风气（至今亦余波犹存），所以日本老板不提"顾客是佛祖"、"顾客是天神"、"顾客是菩萨"一类的口号，而偏提"顾客是上帝"；我们如今将此口号西渡引进，千万别丢失了那口号的底蕴——到头来强调时还是一个"外来主"的意思。你想，倘若每一个中国售货员都把每一个普通的中国顾客当做"外宾"，甚至当做"顶尖"的"外宾"，那态度能坏得了么？

老者"辞帝就宾"的怪论，令我心中好不痛快（"好不痛快"有双解，读者诸君可"各取所需"）；我倒是觉得原来那个"为人民服务"的口号挺好，只是"人民"是复数，每一个单个的顾客常被售货员抛之以白眼："你能代表人民么？"因此建议改复数为单数，即"为人服务"，或变个说法为"顾客是人"，真正落实了，也就心满意足。

1993 年 2 月 18 日

# 重新诠释的乐趣

去年 12 月 5 号，我匆匆忙忙从丹麦的奥胡斯飞往哥本哈根，又从哥本哈根立即换飞机飞往瑞典的斯德哥尔摩，不为别的，只为赶去观看当晚在皇家剧院演出的芭蕾舞剧《倍尔·金特》。

那是很隆重的演出，票子很难搞到，我的票是瑞典文学院预订的，位子在 10 排中间，观看这场演出对我来说既荣幸又快乐。

演出开始以前，我有心理准备：尽管我读过易卜生的剧本，也看过中国的话剧演出，但这次瑞典皇家芭蕾舞团的演出，一定别开生面！我还记得 1988 年初夏曾在法国巴黎观看过瑞典一个叫做玛茨·奥克的芭蕾舞团演出的《天鹅湖》——那一回可真给我吓了一大跳：舞台上出现一群秃头天鹅，使用着我前所未见的舞蹈语汇在那里"乱跳"……后来我理解那是艺术家试图对柴柯夫斯基的那一名作进行新的诠释，虽然我不能与那诠释认同，却不能不佩服该艺术团体的创新激情。

《倍尔·金特》的演出没吓我一跳，它对这一经典剧作所作的全新诠释深得我心：特别是它把这一世纪初的浪漫主义著作，在很多场景里化为直接显示世纪末西方现实景观的似乎是刚刚出炉的"热面色"——编导者有意采取了"同一空间里时间的并置"这一"后现代主义"的手法，观毕令人对人的生存困境产生许多联想与感慨。我至今一闭目便能再现出那最后一幕的景象：几十个倍尔·金特用"太空步"走着人生之路，每一个都显示倍尔·金特人性与命运的一个侧面，那极富创新意味的舞蹈语汇，与悲怆的音乐融汇为一种看得见摸得着只是说不出的哲思……

对经典作品予以重新诠释，过去有过，今后一定还会有，但我们今天似乎正处在一个格外热衷于"重新诠释"的历史时期中，报载中国青年艺术剧院将演出与以往大不一样的《雷雨》，鲁大海这个一度被认为必不可少的"亮色人物"将取消——记得 1949 年以后曾印行过曹禺自己亲自修改过的《雷雨》，在那一版本中鲁大海被拔高了许多；无独有偶，台湾某剧团也将演出与近几十年通行本不同的《雷雨》。《雷雨》首发时，前有序幕后有尾声，但早在 40 年代的单行本和舞台演出中，就已销声匿迹，大约那时候被认为是"画蛇添足"。乃至被认为是一种"不健康的成分"——台湾某剧团这一回的演出，却要"返璞归真"，按首发版演出，序幕与尾声自然要郑重保留。《雷雨》舞台演出的新诠释虽然打出的是"恢复原版"之类的旗号，但其中深深地渗透着现实世道人心的因素，令人觉得经典著作固然如永葆青春的妙龄女郎，但新一代的诠释者却实在更像时装设计师，他们总是要为妙龄女郎裹上他们自以为时髦的"最新季节装"。

重新诠释的快乐，创作者与欣赏者共享。我们至少已经看到过两部根据狄更斯原著改编的电影《孤星血泪》（一为黑白，一为彩色）；两部根据同名小说改编的电影《简·爱》（也一为黑白，一为彩色）；以及两部乃至两部以上的《战争与和平》《安娜·卡列妮娜》《悲惨世界》《哈姆雷特》（《王子复仇记》）……影视作品；这还都是不同时间制作的，有时在差不多的时候，一些艺术家会鬼使神差地扑向同一经典，争先恐后地拿出自己的诠释，比如已故小说家李劼人的那部《死水微澜》，头两年在已经拍了两部电视连续剧之后，资深导演凌子风仍然又兴致勃勃地将其诠释了一遍，他将他那部影片叫做《狂》——这符码的选择再清楚不过地显示出他的诠释取向。影片公映后有人批评他的改编侧重点"不妥"，因为他淡化了原著中的时代社会政治内涵而突出了主人公的个人情感世界——我觉得凌子风对《死水微澜》的相当个性化的诠释是成功的、有趣的，这并不影响以后别的艺术家再一次对其作新的诠释——比如拍成一部地道的政治历史片。

是的，"编新"有时并不一定胜过"述旧"，因为在"述旧"的过程中可以充分地予以重新诠释，而每一次的重新诠释，都既是对传统的继承，又是对传统的更新。

如果我们自己不搞重新诠释，那我们对别人的重新诠释，不仅应抱宽容的态度，而且对确实自成一说的诠释，都应鼓掌欢迎。

1993 年 4 月 5 日绿叶居中

# 蛇皮包

那是每一个中国人都很熟悉的东西——许多人把它称为蛇皮包，就是用一种廉价的尼龙材料缝制的简易手提包；不知为什么一般都由白、蓝、红三种等宽的大条纹构成；那样的尼龙材料也经常大幅大幅地用来当做遮拦布，许多正在施工的地方，周遭便围着那样的"蛇皮"。

中国人的先富起来的那一部分，一开始是"离土"的农民，然后是"倒爷"，再后是"官倒"，据说现在轮到了"三士经理"——"三士"即获得了学士、硕士、博士学位的一个青年才俊群；后两种人物且不论，那头两种人特别是"倒爷"同蛇皮包的关系，那就如同关云长与他那青龙偃月刀一样，一起过五关、斩六将，共当祸福，相依为命。

"倒爷"虽称"爷"，其实是"小倒"的意思，真正倒腾得厉害的，无论是所谓"官倒"或"私倒"，一不必"御驾亲征"，二不必见货运货，常常只是酒宴上拍板、账面上挪移，因此与蛇皮包无缘；蛇皮包毕竟是一种带有平民色彩的东西，尽管拎着蛇皮包致富的"小倒"也可能积累起令工薪阶层瞠目的财富；他们手里的蛇皮包在公众空间里的运动，构成了一种时代特色，正如"文革"中的军绿挎包一样，今后欲"还原"我们这个时代的艺术家，一定会在他们的绘画、影视等作品里表现蛇皮包——但那将不会是财富与荣耀的象征，很可能会使新一代的中国人"触目惊心"，引出许多关于我们这个时代的悠悠情思，恰似当代美国人观看"西部片"，那些牛仔手里的套牛绳会引出他们对前人所经历的艰辛悲欢的丰富联想与欷歔慨叹一样。

# 富 心 有 术

我的一位市井朋友，现在已从"倒爷"跃升为无需再"小打小闹"的"款爷"，他的邸宅，装修得相当堂皇，而且也尚属不俗——因为请了一位美术学院的毕业生作总体设计——光是客厅里那游动着上千元一条的金龙鱼的水族箱，便气派得可以；但我有一回去他那里做客，侃至兴浓时，他忽然从壁橱里取出一样东西来让我看，我眼过心震——原来那是他当年创业时的一只蛇皮包……

靠蛇皮包起家的，当然不止我这一位朋友，相信已经用不着蛇皮包而仍对蛇皮包怀有深厚感情的，也不止此君一人；今后不少"大款"教育子女后进，"忆苦思甜"的时候，蛇皮包可扮演重要角色，当无疑义。

尽管后浪推前浪，浪打浪，新潮滚滚，社会生活在不断地汰旧涌新，但至少在一九九三年，蛇皮包所担负的"小倒"使命——既是包主的，也是历史——仍未结束，"革命尚未成功，同志仍须努力"，我们随时还可以在火车、公共汽电车、地下铁、马路上遇到提着大大小小的蛇皮包匆匆赶路——其实是在和地域之间的差价浮动抢时间的人，他们脸上的那份兴奋、期盼、紧张、坚毅，浓缩着整个社会大转型的群体表情。

不过在中国，国人手中的蛇皮包确实在减少——也有许多中国人本来就并非用蛇皮包"办货"而只是用来购买私人消费品或当做简易旅行袋，现在即使一般工薪阶层，还有几个愿那样土气与寒酸呢？蛇皮包终将成为文物，也属必然。

现在中国来了不少前苏联和东欧的"洋倒爷"，中国特色的蛇皮包，显然成了他们的宠物，在北京有名的秀水东街个体服装市场，你就随时能看到拎着硕大的蛇皮包的穿着往往比一般中国人土气而且英语也比一般中国人更蹩脚的金发男女，他们像一面滑稽的镜子，映照出在中国已开始衰退的世相，如果你再联想到蛇皮包的那宽宽的三色条纹，恰恰是俄罗斯国旗的白、蓝、红三色，那么俄罗斯"倒爷"拎着蛇皮包不远万里地来奔钱财的形象，该引发出你什么样的思绪呢？很可能是超意识形态的，对于普遍人性的一种憬悟，一种惊叹——这世上当然已经有过并且还会有一些贤人伟人圣人，但最大多数的人，却总会是一些希图在社会允许的或未明确禁止的范围内看重个人幸福特别是个人实际利益又特别是经济利益的凡人俗人庸人，你可以教化他们、管束他们、责罚他们，然而当你无力将他们的衣食住行生老病死一包到底，而哪怕只给他们不多的自理权时，他们当中就一定会有为数甚多的人"丑态毕露"，拎着蛇皮包冲进火车车厢去抢占行李架、引出争吵乃至殴斗一类的活剧，就一定会上演……不过渐渐地看惯了，也就"见怪不怪"，当你发现这些凡人俗人庸人的"蛇皮包"式行为不但大大减轻了政府已不堪承受的"全包"的负担，而且还为社会创造出价值来时，你就再不会认为那是丑态，而只把那视为常态，甚至于当那蛇皮包成为文物时，人们很可能还会从中获得一种审美愉悦，就如同当代人面对着博物馆里的古代褡裢一样。

蛇以蜕皮而进入生命史新的一轮，中国"大款"以告别蛇皮包式的"小打小闹"而进入一个新的境界，前瞻我们的社会生活舞台，锣鼓将更加喧闹，生旦净末丑都将有更充分的发挥机会，火爆的戏码还在后面，无论是扮演主角，还是仅只跑跑龙套，也无论是首席伴奏，还仅只是敲敲边鼓，无论是舞台监督，还只不过是后排边角上的看客，大家既已到位入场，那就都别含糊——咱们一出接着一出！

1993 年 3 月 26 日于北京绿叶居

# 清晨无泪

晨光透窗，你生命的笔，又须饱蘸温热的心血，去谱写一个崭新的日子。

把昨晚的懊恼与烦忧彻底忘记，并且不必为夕阳中有过一双泪眼而惭愧，那也是生命之歌的一种旋律；但现在已是又一个清晨，看丝丝缕缕的晨光，都散发着花苞般的芬芳，召唤着又一次更新过补充过筛汰过精气神的你，去迎接新的挑战，捕捉新的机遇，享受新的喜悦，当然——也可能，不，那是一定的；还要承受新的磨难，新的隐痛！

清晨的肩，耸动着，准备接载饱和的负荷；

清晨的手，交搓着，准备处理复杂的工作；

清晨的脚，弹跃着，准备跨越刁难的门槛；

清晨的眼，圆睁着，准备窥透玄奥的人心；

清晨的脑，醒惕着，准备思考交缠的难题；

清晨的心，期盼着，准备咀嚼奋斗的快乐……

清晨不言惧，不言悔，不言烦，不言闷；

清晨是一日的童年，即使你已到耄耋岁月，清晨的你仍应是一只不怕虎的牛犊；

清晨的你永远拥有一个好心情，不深求道理，不企望浓酽，如鲜绿的叶片挺茎承接阳光，如汩汩流淌的小溪欣悦地反射朝霞，不为什么，既然是清晨，那就一定心旷神怡；

清晨的你充满了理解的渴求与活力；

清晨的你拥有谅解的热望与胸怀；

清晨你比傍晚时和蔼；

清晨你比黄昏时圆通；

清晨你总不自觉地哼着歌；

清晨你总微笑——那微笑总如同被朝阳吻开的花蕾；

清晨时你的想象力最丰富；

清晨时你的潜意识最明澈；

不管实际情况如何，清晨你总是感到少敌多友，你总是任爱波在心中荡漾而轻率地把恨的礁石淹没；

清晨时你总是不成熟，如带着绒毛的绿苹果；

清晨照镜，就算你拔掉了一根白发，你也总是在心里恭维自己的尊容；

清晨穿衣，就算你匆忙中来不及认真搭配，你也总比裹一身精细的包装去赴晚宴时自信；

清晨时不嫌家贫，不嫌母丑妻丑夫丑儿丑，甚至那午后夜晚最惹人生厌的邻居，在清晨相遇时也格外地顺眼，愿给予真诚的笑脸和并不感到勉强的寒暄；

鸟儿在清晨理翎，猫儿在清晨舔毛，连蚂蚁也在清晨搓爪理须，每一个活泼的生命，都在准备新一轮的投入，想的只是耕耘，清晨照例不问收获；

太阳下面无罕事么？也许，但生命之歌，总欲在清晨谱写新曲，哪怕只是一行，乃至仅仅一个小小的音符；夕阳谢落时，生命个体往往感到格外地疲惫、忧郁、孤寂乃至空虚，生命的泪珠，或许不一定涌向眼眶，却一定滴落在心头……该感谢谁呢？造物主？神仙还是皇帝？祖宗还是传统？经过一夜的歇息或调整（哪怕是"开夜车"），当清晨来临，哪怕是一个阴沉的灰白的清晨，一个雨雪霏霏的清晨，一个严寒的冻红鼻子的清晨，生命的本能，一定要奏出春笋般清新滋润的歌；如果那本能受到阻塞，我们就一定要以超本能的憬悟，来恢复自身的心理健康，使清晨的我，率先成为太阳下的一个新物……

正如夜幕下那反思的凝重并非一再重复，清晨近乎幼稚的欢愉也绝非倒退——个体生命在那规律性的一张一弛、一生一熟的年轮兜转中，显示出全部的意义与尊严。

清晨无泪。

以颤动的生命力，紧紧地拥抱每一个清晨吧！

1993 年 5 月 5 日

# 友谊与爱情

## 一

当一个人自豪地说："他是我的朋友！"这时悲剧可能已经揭开了序幕。

当一个人自信地说："他是我的朋友！"这时喜剧可能已经开场。

当一个人大声宣布："他是我的朋友！"这时闹剧可能已经渐进高潮。

当一个人低声自语："他是我的朋友！"这时可能已经没戏。

当一个人默默思念："他是我的朋友！"这时可能正当幕间休息。

当一个人喟然长叹："他是我的朋友！"这时必已悲喜正闹各剧都已演过。

## 二

慎言友谊。同慎言爱情一样么？不！言爱情的分量不足以言友谊，以心为圆心，则友谊的半径比爱情长。

## 三

爱情与友情都怕天和地，爱情更怕地［两分离］，友情则更怕天［岁月］。

## 四

爱情不能容忍"第三者",友情呢?友情的容忍度一般说来不能超越"第四者"。

## 五

爱人之间,有福同享者往往比有难同当者为多,而友人之间,有福同享者往往比有难同当者为少。

# 记忆与遗忘

## 一

个人的遗忘是一种美德？

集体的遗忘是一个悲剧？

## 二

个人的遗忘往往是真实的。

集体的遗忘往往是假象。

## 三

集体的记忆便是历史？否。那记忆往往在文章记载的历史以外。

集体记忆的方式是民间私语。往往世世代代相传。

集体记忆的外泄是民间故事。

集体记忆的中断并非表现为沉默，而往往表现为狂欢。

## 四

集体记忆最终构成了一个民族的民族性。

　　集体记忆厚积的民族与集体记忆稀薄的民族无所谓高低优劣。然而，完全没有集体记忆的民族必是一个出了毛病的民族。

## 五

　　在集体记忆面前，任何个人都只宜心存敬畏。集体记忆可以唤醒个人的良知。

## 六

　　集体记忆可能并非如巉岩那般坚挺沉重。它往往更像蒲公英的种子，一阵轻风便可轻柔地飘散，但它将广布人间，并将顽强地再繁殖、再扩散。

## 七

　　个人记忆会随着岁月的流逝而模糊，犹如溪水在流动中裹挟上越来越多的杂质；集体记忆却会随着岁月的流淌而愈见清晰，犹如沉淀了泥沙的天池。

## 八

　　个人记忆随着个人的死亡而湮灭。集体记忆却穿过一个又一个个体生命的"死亡针眼"，而曳着正义的长线，随时准备回缝历史的裂口。

1993 年 2 月 13 日

# 忧愁与忧郁

## 一

忧郁不是忧愁。

忧愁是蹩脚文章；忧郁是美文，是诗。

## 二

强者不忧愁。

强者有时忧郁。

## 三

忧愁使人觉得世界荒芜人生暗淡前途茫茫。

忧郁使人憬悟世事诡谲人生莫测奋斗无涯。

## 四

忧愁白了少年头。

忧郁添了智慧纹。

## 五

忧愁纯然是苦涩的况味。

忧郁诚然也苦，但如苦瓜，如咖啡，苦中有丝丝甜味。

## 六

忧愁不学自会。

忧郁却是文化教养的产物。

## 七

忧愁与幸福相抵牾。忧愁是不幸感的别名——尽管忧愁者有时客观上并非多么地不幸。

忧郁常常与幸福做伴。忧郁是幸福者的奢侈品吗？是的，那是非常优美的奢侈品，正如女人颈上雅致而昂贵的项链——那是她们贫穷不幸时绝没有的套颈索。

## 八

忧愁者充满焦虑感。

忧郁者并不一定焦虑；他们有时会格外从容。

## 九

一定要设法摆脱忧愁。

不要害怕忧郁。

## 十

把忧愁转化为忧郁，当然值得。

但不是每一个人都能做到这一点。

# 自己与别人

## 一

自己当众说："谁给我好处，我就跟谁走！"

可又当众谴责别人：为什么没有勇气当"烈士"？！

## 二

希望自己安全——这很自然；

可又为别人的不安全而窃喜，乃至幸灾乐祸——这是为什么？

## 三

自己赶时髦，如有凶狗在身后狂逐；

可又常常慨叹世风之不古——特别是在关键场所之中关键人物面前。

## 四

自己当众宣称：那真不是人待的地方！

可又生怕别人去那地方将其取代——哪怕取代者与其同类。

## 五

偷来的锣儿敲不得；于是希望别人替敲。

## 六

据说他从不出卖朋友——难道这就值得尊敬?

他一次又一次地出卖自己——让人说什么好呢?

## 七

损着别人的牙眼，却主张宽容；

损不到别人牙眼时，便呼吁团结。

## 八

不在其位，抢谋其政；

却总觉得上下都在违纪。

## 九

局面一安定，他便浑身不舒服；

于是他便指控别人是不安定因素。

## 十

自己毕竟是自己；

别人毕竟是别人。

# 谁 做

1. 谁都觉得这事该做；谁都等着别人去做；谁都埋怨别人没做；谁都觉得这事并不难做；谁都觉得可能确实不大好做；渐渐地谁都觉得可做可不做，最后都觉得可以不做；终于不做；谁做谁不该！

——当然不是我们。

——他们是谁？

2. 谁都不做，一个人做，他或她是——傻瓜？英雄？疯子？伟人？

谁都做，一个人不做，他或她是——智者？昏虫？哲人？叛逆？

——那一个人当然不是你我。

——是谁？

3. 做有时不如不做——真的吗？

不做有时胜过做——真的吗？

介于做与不做之间，往往多于真做和真不做者——真的吗？

4. 谁都觉得这事情该制止；谁都等着别人去制止；谁都埋怨别人没制止；谁都觉得这事不难制止；谁都觉得可能确实不大好制止；渐渐地谁都觉得可制止可不制止；最后都觉得可以不制止；终于不制止；谁制止谁不该！

——当然不是我们。

——他们是谁?


5. 其实都在做;谁能根本不做?

往往等于没做;谁能保证算做?

进入程序了吗? 遵守规则了吗? 边做边想了吗? 边想边做了吗?

做难;不做更难;介于做与不做之间,就不难了吗?


6. 还是要做? 谁做?

1993 年 3 月 6 日

# 灯　火

（"夜深人静，忽发诗情：思丝真能成诗么？"）

夕阳中夜纱飘落

罩住那城中高楼座座

奔波又一天

尝遍酸甜苦辣人生果

步伐疲惫朝家走

蓦抬头——闪闪烁烁、闪闪烁烁

竟已是万家灯火！

这只船何处停泊

那共享的屋顶下谁人等我？

辛劳又一天

唱够人际斡旋八面歌

满怀企盼朝家走

蓦抬头——温馨灿烂、温馨灿烂

那是自家的一窗灯火！

这社会变化太快太多

我这凡夫俗子心中惶惑

忙活又一天

也不知自己终究是对是错

不害别人满足自己

蓦抬头——窗灯火、一窗灯火

有家可归毕竟快乐！

有家可归毕竟快乐！

（哪里是诗！是静夜里自创的通俗歌曲；谁给谱个好曲？）

1993 年 3 月 20 日

# 是何逻辑

一

你这个电影必须停拍，因为里面那个反面人物看过剧本的都说是我，其实我哪里是那样的呢？（翻动剧本）比如这里……再比如这里……还有……还有太多了，太多了，都完全不是那么一回事嘛！……

……什么？不能说是反面人物？是复杂性格？那为什么要用这个细节？又为什么这样描写？……你们不要欲盖弥彰！丑化就是丑化！既然敢于如此肆无忌惮地丑化，就应当敢于承担责任！

……丑化了谁？你们自己心里清楚！……我完全不是这样的嘛！你们这样做太下流！我气愤！我抗议！……

什么？名字不是我的？对；相貌不是我的？也对；职业和职务也跟我不一致？当然；那些事情那些细节也不是我的？……我不是刚逐一辟了谣吗？什么什么？你说什么？——"如果仅仅是性别一样，年龄差不多，你就这么激动地来说明，来'辟谣'，来抗议，那么，该有多少电影剧本里的角色惹你生气呀！"——胡说！那些电影剧本跟我有什么关系？你们必须停拍！必须！

## 二

你为什么穿得洋里洋气的？其实，中国自己有非常好的民族服装——告诉你吧，人家外国早就不这么穿了，人家现在时兴的是那样的……明白了吗？对啦，你要真想时髦，就该那样穿……什么？你问我为什么也穿洋式时装？我在国外的时候，经常是穿旗袍的嘛！什么？旗袍在那边也是洋服？……反正，我觉得你们不要眼睛总盯着外国，你是没出去过，出去你就知道了，完全没什么好羡慕的！什么什么？我什么时候永久性地回来再不出国？唉！我真羡慕你啊，用不着像我这样地来回奔波……不要做外国梦！什么？你说我希望你和与你一样的人永远穿地道的中国衣服，说地道的中国土话，吃地道的中国食物，用地道的中国制品，永不离开中国大地……对对对，那有多好呀！什么？你不同意？你呀你呀……你为什么要穿得洋里洋气呢？哎呀，刚才没看清，你这耳饰也不对头，人家那边是不能这样配色的……

## 三

请服用神童长寿膏，此膏是神童申申不幸夭折前对广大民众的荣誉贡献，服用此膏可保健康长寿，老少咸宜；当您服用此膏获得长寿时，请您务必感念不幸因病早逝的神童申申，没有他的天才奉献，也就不可能有我们今天服用长寿膏的长寿保障！君欲祛病长寿，请服神童长寿膏！

# 广告，广告，广告……

## 一

广告当然是一门艺术，不过，这门艺术里没有现实主义这一流派。

## 二

对于儿童来说，广告是一种最好懂的电视剧；

对于少年来说，广告是一种类似学校发给家长的交费通知书那样的东西；

对于摩登青年来说，广告往往就是他们的初恋；

对于已婚中年人来说，广告常常是第三者插足；

对于老年人来说，广告往往是所有电视节目中最难接受的部分。

## 三

广告的创意，大体都取材于梦境；

广告的前面，是献给消费者的梦；广告的背面，是留给推销者的梦；两边的梦均等时，那广告便可称成功。

## 四

讨厌广告的人，往往是经常看广告并记得很多广告的人；

喜欢广告的人，往往是偶尔看广告并且连那别人早已熟悉的广告也充满新鲜感的人。

## 五

最鲜明的时代特征，到头来是那时候最流行的商品广告。你看电影电视剧里为了营造时代氛围，总是在画面里点染一些商品广告。下面是一些熟见的"时代符号"：

虎牌万金油；元帅头像标识的仁丹；旗袍美人标识的大前门香烟；回力牌胶底球鞋、鲸鱼牌鱼肝油；黑人牌牙膏……

## 六

广告渐渐溶化在我们的生活中，这一点应无疑义；

广告没有溶化在你的生命中吗？对这一点你同样没有疑义吗？

## 七

广告引出许多纠纷——在产家之间，在产家与商界之间，在商界之间，在产家商界和消费者之间……而最让人感慨万端的，是在家庭中、亲人间。

## 八

广告是包着糖衣的苦药；

广告是可望之梅、已画之饼；

广告是希望是安慰是诱惑是乐子；

广告是天使也是魔鬼；

广告是白娘子，消费者是许仙，即使广告偶尔像喝了雄黄酒那样现出了原形，即使有确实出于好心的法海和尚来解救，即使消费者如许仙那样一时吓破了胆一时随法海和尚而去，到头来广告一"水漫金山"，消费者肯定会在断桥那儿跟广告白娘子重缔鸳盟！

## 九

广告给我们许多：不确切的知识；不需要的信息；不衔接的逻辑；不通顺的语句……

广告是一种社会填充物；这世界因有广告是更坚实还是更疏松了呢？

也许，适度的广告填充可使社会的砖石结合得更加紧密；

也许，过度的广告充塞会把社会的砖石挤得向外松动；

但是，怎样的度才是适当的呢？

## 十

倘若你明天一觉醒来，发现中国的任何地方都没有广告了，你会是怎样的心情？

或者，只是你明天打开电视机以后，发现中国任何一个电视台都不再播出广告了，你会有什么样的想法？

# 温 柔

## 一

在当今社会中，温柔是一种奢侈品吗？

否。

温柔是人生的必需品；温柔是人生的润滑剂；温柔是人生的维生素……

## 二

温柔是女人的天性？

否。

我们在生活中都曾遇到毫无温柔可言的女人——这样的也许不多，但温而不柔和柔而不温的女人，难道不是处处可见吗？

## 三

男人的天性中绝无温柔可言？

否。

男人一旦释放出温柔，常能照亮周围的人生——使自己和享受那温柔者深感在世为人的无悔。

## 四

人际的利益冲突，压抑、扼杀着人内心的温柔；

滥施温柔，会在人际斡旋中受到重创，乃至惨败；

丧却温柔，即使在人生游戏中频频中彩，赢得胜利，到头来还是百无聊赖。

## 五

温柔感涌上心头时，离哲学就近了；

温柔与理性不但不冲突，反是飞向理性的翅膀。

## 六

温柔也要见好就收；

温柔要自然；把温柔拉长、吹涨、涂饰、张扬，都会使温柔变馊；

温柔有酒的醇美，温柔却不能如酒一样封存。

## 七

这世界一切都商品化了吗?

但你无论花多少钱，都不一定能买到温柔——假货当然例外。

这句话其实还须修正——你无论花多少钱，都一定买不到温柔。

# 豆腐作坊

十几年前头一回去苏杭,有一回我大声地对当地的朋友说:"我最爱吃豆腐!"他们大笑不止,有几位还一边笑一边朝我挤眼睛,弄得我莫名其妙;后来我才知道,"吃豆腐"在当地是男人占女人便宜的意思,我大言不惭自称"爱吃豆腐",难怪人家要给我一大哄了。

从此我慎言对豆腐的爱好,尤其当着苏杭的朋友。

不知道是从什么时候开始,由谁头一个把报纸上的短文章叫成"豆腐块"的;我自上中学以后,就不仅喜欢读"闲书",而且喜欢读报纸副刊上的"豆腐块";后来我产生了发表自己作品的想法,一下子写不出书来,于是就制作"豆腐块",向报刊投稿,试来试去的,也就发表出一些"豆腐块"来。起先我把这些"豆腐块"都保留起来,后来遇上"文化大革命",就都撕了烧了,那滋味真不好受。

十几年前,我成了一个作家,写了一些不但比"豆腐块"大甚至比"烙饼"也还大块儿的小说,后来更出了一些纸张构成的"瓦片"和"砖头",于是我耳边便常常响起"你应该潜心写巨著"的声音,那不消说都出于万分之万的好意,我除了感谢真不该再说什么。

但这两年我却大量地制作起"豆腐块"来,虽然我并没有放弃小说的创作,也还有"砖头"问世,"豆腐块"的大量生产和发表却构成了我文学活动的一个新特征。

四面环顾,似乎也不是我一个小说家如此——也不乏诗人和理论家,在如今的世道里兴致勃勃地开起了"豆腐作坊"。

报纸副刊上的"豆腐块"，那文明的叫法，应是杂文、散文和随笔，以往杂文、散文和随笔的界限是比较清楚的，好比麻婆豆腐、家乡豆腐、锅塌豆腐风味迥异一般，现在好像界限模糊了，起码我自己写出的"豆腐块"如此，有时我自己觉得是一篇随笔，发表出来时用了楷体字，围了花边，分明是被当做了杂文；而有时在随笔专版发表出来，又被当做散文转载；所以渐渐我自己也不再那么从学名上较真，有人问我写什么呢，便漫应曰："点豆腐哩！"看别人写的"豆腐块"，也不从品类上去细抠，只要看着有味儿，便或忍俊不住，或颔首深思，就像我爱吃西式炸鸡一样，我懒得区分肯德基、哥顿、邦尼以及别的什么名号的区别。

那些期待我们"拿出巨著"的人士，看见我们总是制作"豆腐块"，一定会慨叹我们的"不争气"；但一定的文化现象的出现和兴衰，是受到具体的社会状态的支配和制约的，我想在这社会大转型的历史时期，从读者这方面来说，他们大多忙于应付遽变，难免心浮气躁，哪有啃读巨著的雅兴，即使有一些闲暇，他也宁愿用来读些消遣消闲的东西，就是想雅一点或严肃一点深沉一点，那读读非俗气非浅薄的短小美文，即制作得比较细嫩的"豆腐块"，也就满足；从作家方面来说，一是在不得不跟着大转型的情况下，对身受的风雨需要有一个心灵过滤的过程，巨著不是可以倚马挥笔一蹴而就的，二是制作"豆腐块"，有助于那心灵过滤的进程，还有第三，是"豆腐块"的经济效益属于"短平快"之列，当代作家难有甘过"绳床瓦灶、举家食粥"的生活的，制作一些"豆腐"投入文化市场，以维持小康生活，当不致为期待巨著的贤者耻笑。

我目前在写小说的同时，开着"豆腐作坊"，心安理得地点着"豆腐"；当然，我还是不敢造次，既不敢声称自己"爱吃豆腐"，也不敢问一声读者：可爱吃豆腐？

1993 年 6 月 10 日北京绿叶居

# 我的心理保健操

忽然自己年过半百了，真有点措手不及——怎么身心一下子就疲惫起来了呢？原来讳谈保健，现在是不能不注意了！

身体保健，这里且不谈，只说说自己心理保健的一些办法；当然，都是逐步积累起来的。

为自己，我编制了几套心理保健操。

其一，列表化解操，时常感到心里乱哄哄的，情绪烦躁，要么会无端发火，要么会突然厌世，这时便应坐到书桌前，铺开一张纸，先写出一行大字——我为什么心乱？然后纵列出三栏，A栏列最烦心的事，B栏列次之的事，C栏列小事；列好后，从C栏开始一桩桩想：值得为这个心乱么？……有的，想想也就释然；有的，不禁哑然失笑；有的，无可奈何，但细想也没什么大不了的……凡大体可以化解的，都用红笔划去，剩下的，自然是真值得认真对付的事，一时虽化解不了，心绪经过这样一番梳理，也就不至于胡愁乱恨了。

其二，自寻小乐趣操，有时倒并非烦躁而是百无聊赖，提不起精神做正经事，这时无妨先不做大事，而找些小事来做——自然是有趣的小事，在自己家里这类事转几圈便可找到许多，例用湿棉花球给所养的盆栽植物清洗叶面，把所陈列的摆设加以挪移求得新的视觉效果，用空易拉罐制作一样小工艺品，乃至凝视平时并没有仔细观赏过的挂历——往往能发现原来绝无印象的细节……在琐屑的小乐趣中，无聊感便渐渐消失，于是恢复了做正经事的兴致。

其三，回忆美景操。心里淤着浊气时，往往会满目阴暗，了无意趣，这时无妨坐到沙发或靠到床铺上，一定要取最舒适的姿势，如能开放音响，让其放送柔曼的乐曲，更好——闭目冥想，回忆自己游过的名川大山，特别是那些储留在心底的具体镜头，又特别是细微的妙处，更要紧的是那云影山光变幻不已的动感……一幕幕的美景，犹如熨心的尘拂，能将淤积沌塞的浊气涤尽。

其四，无损宣泄操。心中窝着一团恶气，最易情绪波动上蹿时不能自制，搞不好会爆发为有损宣泄，抓起家中的摆设胡乱投掷，事后必定后悔不迭，倘将恶气胡乱地拽到家人朋友身上，那后遗症更难治愈；因此，须有备无患——比如用一只纸箱储存一些废纸和已破损的旧磁盘，一旦真的因恶气难咽，心理张力实在紧绷，那就无妨取出那些废纸使劲地撕扯，撕纸还不过瘾，便可砸盘——当然要选好地点，以不殃及它物为原则，口中可念念有词，或哼唱"怒发充冠，凭栏处，潇潇雨歇……"不要觉得此操滑稽，这是一位地位颇高的老人教给我的——他的若干同龄人都因癌症而亡，他却至今矍铄康健，他和我都觉得自己性格属于偏刚难折一类，因此恶气万不能因怕丢面子而窝囊下咽，否则必憋出瘤子无疑。

其五，自嘲操。人有时又容易洋洋得意，乐观得出边，结果心理状态也发生偏斜，这时便须作一点自嘲，如无条件在他人面前自嘲，对镜自嘲亦有效果——无妨自问：你人模狗样的，什么了不起？升天了么？成仙了么？咦，瞅你乐的！你前头的困难还多呢，潜伏的危机不少呢……哟哟哟哟，怎么又皱起眉头了，瞧你这点子德性！……人在自嘲中，失去的只是虚荣，获得的却是清醒，自嘲操在顺境中尤宜常做。

其六，"走向混沌"操。"走向混沌"是从维熙兄一部大作的名字，这四个字本不是什么吉利话，这里借用过来，却是把非良性的心理状态转化为良性的意思。有时候，人会清醒得过了分，连枝枝节节、丝丝缕缕都网织于心，结果也不好受，而且容易变得锱铢必较、小肚鸡肠，如不加以调整，于己于人都有害无益，那调整的方法，便是有意地"走向混沌"；比如可以拿起一本唐诗宋词，随手翻开，目过口诵，摇头摆脑，以抹去萦绕于心的那些过于细腻的算计；当对一件事的思维该清晰处清晰，该模糊处模糊，方是最佳心态，"走向混沌"操是达于此境的"赵州桥"。

还有其他几套，且先列出这六套，望勿见笑。

　　这其实是自己当自己的心理医生。

　　像散步、骑车、钓鱼、游泳、下棋、打球、爬山、划船、养宠物、弄盆景……因为都主要是生理上的健身措施，所以我不再罗列——其实我上面列出的几种心理保健操除第四种外，都可与上述的活动相辅相成。

　　重要的是我们不仅意识到身体的生理方面要保健，心理方面也要保健。

　　我们过去一般除身体外只强调精神，精神当然重要，但我以为精神的概念还不能代替心理的概念；某些精神境界很高的人，有时也会产生甚至于是相当不小的心理障碍，而心理的问题只能用相关的手段解决，并不是能全靠精神来消弥的。

　　身体的物质部分一般称为肉，与之相对的精神一般称之为灵，心理，我以为是灵肉之间的无形铰链。时时为这铰链保洁，添加润滑剂，修理破损，调整松紧，实在至关重要。

1993 年 4 月 27 日于北京绿叶居

# 日子没有别名

刚写下题目，自己就和自己抬杠：日子怎么没有别名？报纸的眉头上，便至少标着公历、农历两个名字，要是一张台湾《联合报》那它又有一个说法，何况世界如此之大，人类如此之杂，不同的宗教还有不同的起算法，比如按"佛历"，那我要记载的这个日子所在的年份，就应叫做 2537 年，而不是 1993 年……但到头来我还是觉得日子就是日子，至少对于我来说，日子无需别名。

1993 年 3 月 21 日，上午九点五十左右，家里人把我从床上叫醒，说是有位女士来访。近三年来，凌晨四点至中午十一点半是我睡觉的时间，凡与我相熟的人都知道我这口"生物钟"的"规律"，没有要紧事绝不来打扰。虽说我有"不见未预先约定好的客人"的"规定"，但人家既已按响门铃并被家人迎进室内，少不得挣扎着穿上睡衣，蓬头垢面地走到厅里先致歉意，后问来意。

女士是来约稿的。照例谢谢。照例告知我若觉得他们那园地与我脾性大体相容我会寄稿子去。不照例的是，聊了几个回合后，终于问他们的稿酬多少，按篇计酬？还是仍按千字一单元计酬？多少？更不照例的，是举出目前我们所得的最高稿酬数额，及发放速度，以供他们"参考"。

把女士送走。懒得再睡。洗脸漱口作几下操。收拾房间。给所养的几种观叶植物浇水。心想该去买花肥了。这想法至少浮出过几十遍了。总没去买。今天当然也不去。今天又有许多比买花肥重要的事——似乎。

喝咖啡，吃面包干，外加一碟花生米，然后吃一只富士苹果。早、午餐一次完成。

　　妻从外面回来，从楼下传达室拿上来一堆报纸杂志信函及几张汇款单。报纸上有条新闻跳入眼里——某影星一次性投入房地产金额为一亿美元；眼睛一瞥案头那张汇款单，只是一个二位数——而且头一位今年才提升到那个数码。一笑。细翻报纸杂志。同时有三张报纸上有关于我的文章。有两张报纸一种杂志上刊出了我的文章……

　　电话铃响。是张洁。说不为别的，只为《南方周末》"芳草地"上我那篇《分享》，读的时候"眼泪都涌上来了"。放下电话久倚沙发，任窗外阳光斜铺身上。有一人分享写那文章时心弦振颤的快感，亦称幸福。

　　但这一天的别名不是"幸福"。也无需其他别名，例如"不幸"什么的；当然更不必用味道如"醇厚"或"平淡"，用色彩如"明朗"或"灰暗"以及诸如此类的办法，来使我的这一天凸现出什么特别的"意义"。

　　忽然想起昨天把自行车推到楼前那位修车师傅的摊上让他修理，忘去取了。穿上外套，下楼取车。我那辆旧车如推到跳蚤市场去卖，至多能卖到五十元，但修车师傅问我要十八元，十八元就十八元，很豪爽地打开钱夹把十八元递给了他。这车一年没骑了，骑上有一种息演多年的老伶重登红氍毹的兴奋感。沿着护城河骑。在一片仍是枯灰的树木中，忽有两株碧桃举出满枝粉蕾，不禁眼亮心甜，下车绕观一时。

　　越过护城河，拐了两个弯儿，见到我的朋友富哥。

　　朋友就是朋友，朋友的概念本不用如列计算机目录似的先列根目录再列子目录。但今天报上那篇介绍我"继续笔耕"的文章里，就把"文化界朋友"和"市井朋友"列为两个概念。文化这一界，不在市井中？抑或是大市井中涵指小文化？不去管他！且同富哥有一搭没一搭地闲侃。

　　想到《当代作家评论》上，为我的长篇小说《风过耳》一次发出了五篇评论——是去年第六期——有一篇青年评论家的文章，谈及"劳动人民"和"底层"的"情结"，我心底里也许确有这样一个"结"，但面对着富哥，我确实没办法给他定位——"劳动人民"么？不错，他一边跟我侃还一边干着活——他修理汽车，自己动手，也指挥着雇工更多地动手；"底层"么？也许，别看富哥拥有的财产比许许多多如我辈尚未"下海"的文化人多不知若干倍，但他仍算得是北京的"胡同串子"之一。要说明的是，"富哥"这个称呼是邻里人打小儿叫惯的，他名字里原有个"富"字，并非现在赚了不少钱才这么叫他的；此外，他比我小，但我和一些比我更老的老头儿老太太都管他叫"富哥"。富哥如今也并没有富到哪里去。他自己没有汽车。也没有在亚运村或别的什么地方置楼房。他从未去过北京已经多达十数座的三星、四星级宾馆，连低档的卡拉 OK 也不去，不进戏院不看电影也很少耐心地看电视，比如《戏说乾隆》他觉得不错也没从头到尾地看过。他养许多的鸟，他那修理作坊里挂满了鸟笼，我问过好多次，这叫什么那叫什么，但一回到家就忘掉大半，下回去了再问，再忘，也曾想用笔用纸记下来，但终于也只是那么一想，没那么行动。

富哥不知道我是个写小说的。他不看小说。离他那作坊三十米远就有个书摊，摊上时下就卖我的《风过耳》，还有《献给命运的紫罗兰——刘心武谈生存智慧》，他不知道，知道了也不会去买，我当然不会把那两本书签上我的名字拿去送给他请他"指正"或"留念"，因为那显然太败兴——既败他的兴也败我的兴。富哥知道我是属于什么单位的，也知道我叫什么，称我为"大刘"，但哪家刊物批判我哪家报纸赞扬我他都不知道也无须知道。前些天我跟他闲侃时，隔壁店铺有人正在收听电台的长篇小说连播，播的是《风过耳》，他从不听小说连播，不在意，我一心二用，望着他和他的那些鸟，对耳边飘过的那些《风过耳》里的语句，有一种奇异的感觉——难道那真是我写出来的吗？

和富哥在一起侃侃，很快活。我会从他那里引发出新的小说来吗？不知道。反正我不是为那个结交他的。

从富哥那里骑车回家。一路上哼着曲子。开头好像是贝多芬第五钢琴协奏曲里的华彩乐段，后来不知怎么变成了通俗歌曲《只要你活得比我好》……

回到家以后，见儿子已在他那房中，坐在书桌前，照例耳朵里塞着小耳机，头还微微摆动着——他即使演算着高等数学的习题，也总要用沃克曼造成一个"背景"方能"入轨"；还好这一段他那些"重金属"的摇滚曲都不再通过书桌上的老式"四喇叭"收录机公开播放，否则我所受到的熏陶，就绝不仅止于钟镇涛、林子祥、鲍勃·迪伦……

晚餐很丰富。点燃了我去年冬天从瑞典带回的银烛台上的白蜡烛。烛焰给人一种比电光更熨帖更温馨的感觉。妻提及头两天去医院作脊椎穿刺的事,下周三看结果。想说许多安慰和吉佑的话,照例只是想说而终于没怎么说。只觉得妻在烛光下比在日光和电光下都美。

不看电视。用音响听北京音乐台的广播。在儿子推荐下听这个广播才一周,已坚信电视不仅不能淘汰掉广播,而且大有被这类广播打入"冷宫"之势。联想到文学,联想到小说,联想到所谓"严肃创作"……自信也并无被淘汰的天理,只欠更多地发挥其特性优势与不懈的创新。

接几个电话。打出几个电话。有一个电话,线那边的陌生女士称来自海南岛,目前身份是香港一家什么公司驻内地分公司的白领,亟欲见我一面,"详谈",为什么?"因为已决定今年春天正式出家……"婉拒。这类"奇人"以前沾过,一挂上钩便极难脱钩。只默祝她果然慈航普度,功德圆满。

家人都上床后,坐到书桌前,真喜欢工作灯下那一圈光晕。我的日子才刚刚开始。没有别名的日子。

打开便携式电脑上盖,面对盖内的液晶屏,先调出"工作计划"浏览……呀,病毒!用防毒卡消……仍有一项程序紊乱,想起下午儿子一同学来过,他两人曾用电脑玩过《三国演义》游戏,气冲冲跑到儿子房内,床头灯亮着,而他已入睡——手里还提着看至一半的巴尔扎克的《幻灭》。忽然很内疚。儿子有权利荒唐。何况给电脑程序造成一点小破坏又算得了什么?想起王朔的小说——仅仅想起小说的名字——《我是你爸爸》,王朔的小说名字里,我觉得这一个其实最有味道,谁是我们各自的爸爸和我们各自的儿子是谁,这一层命运链节关系竟如此之无可逭逃难以更移……在宿命的宰制中,个体生命的困境怎样才能化解?……

回到书桌前,重温手写的快感。过日子,写日子,体味日子,迎接日子……直到最后一日。觉得自己的日子还是蛮干净蛮滋润的。心安理得又一日。

1993 年 3 月 22 日记于北京安外绿叶居

# 跨过五十岁的门槛

## 一

1992 年我满五十岁，没有举行任何仪式，但是我为自己制作了一个富有营养的生日蛋糕，那就是发表在上海《文汇报》的随笔《五十自戒》。我在那篇文章里挖掘自己灵魂深处的污垢，坦承"至少有两种恶，在五十将临时有蹿动膨胀之势，不能不引以为戒"，"一是对同辈人的嫉妒"，"另一种……便是对年轻人的嫌厌"，我很怕五十岁后的自己成为那样一种状态："再写不出像样的作品，甚至连不像样的作品也出不来，剩下的事便是坐在客厅里，同一二同辈相投者叹息年轻一代作家的不肖，或者出席一些这样那样的会议，满足于在有关报道的一串名单里见到自己的芳讳……"我庆幸自己"灵感仍时有爆发，创作冲动涌起时，也还虎虎有生气……并且写出来的东西也还大都能找到地方发表，也还能出书，还有竞争力，没有衰竭，所以迈进人生的第五十个年头时，占据着心灵大部分空间的似乎也还是些光明的、向上的、健康的、善良的、美好的、有益的、宽容的或至少是平实的、无害的、中性的、庸常的东西"，我以为搞一搞自我的心理卫生，给自己提出一点警戒，并把它公布出来，自我示众，增进自知之明，以利踏实精进，是最好的生日宴餐。

## 二

一位我尊敬的老作家有一回有所感地对我说："刘心武，我觉得你是一个纯粹的作家！"我觉得这是对我极高的评价。

是的，我写作，首先是因为我的生命本体中有一种不可抑制的需求，写作成为我个体生命生存的最佳方式。

当然，我和大家一样，也常会陷于困境，我爱写作，但有时也会写得很少，或竟至停笔；不过这种情况不多。

最近几年，我经过短暂的休整，全力投入写作；我为自己拟定了几条规箴：

1) 耕耘时不要想着收获，一定要真正做到"埋头"；

2) 不再将就心外的牵动，自己爱写什么就写什么、爱怎么写就怎么写；

3) 原有的思路轰毁，不足惜；保持终极关怀，但不必焦虑；

4) 深知这个世界不是单为我而存在的，但相信自己必能找到可以一抒胸臆的空间；

5) 我不可能为任何人代言，却自信人间有知音；

6) 为我自己高兴，并乐于自嘲。

我就这样自得其乐地消费我的生命。

## 三

这几年我的作息时间和常人很不一样，一般晚上十点我开始写作，到次日凌晨四点左右结束，上午睡觉，中午起来吃一顿早、午合餐，午睡自然免了，下午我看书报杂志、会客（我一般只会事先约定的客人）；晚上是家人团聚的黄金时间，我家对晚饭相当重视，不仅菜有比较丰盛，而且餐桌上要点烛台，享受温馨的亲情；我常同家人一起看电视，看最具消遣消闲性质的诸如《戏说乾隆》那样的节目，并随口闲扯……

我的生存离不开写作，但写作当然不是我生活的全部快乐更不是全部内容，每过一段时间，我就和妻子一起去逛街，我们近几年似乎很少去公园，主要是去逛商店；妻子很嘲笑我一个男子汉其实也很喜欢在商店里东张西望，并忍不住在经过大镜子时偷偷照镜子，每当有人夸我能耐心陪妻子逛商店时，妻子便不禁叫屈，她当然冤枉，因为近年来去逛商店的动议确实常常是我首先提出来的，他人哪能得知？有人说我是去体验生活，可是我觉得自己的生活同北京城里芸芸众生的生活本是联在一起的，我就在生活之中，我内心的体验从未空虚过，我总是感到来不及把自己的体验及时地写出来。

一些同行知道我有若干市井朋友，与我通电话时常常开玩笑地问："是不是又找你那'小 per'和'二 zuai 子'去啦？"他们用那两个外号概括我的那些多少有些"不入流"的朋友们，我确实每隔一段时间就会去同他们玩玩，这于我也非"体验生活"，跟他们玩有特殊的乐趣，我生活中需要这种乐趣，而我倒不一定去写他们。

不消说我有不算太多也不算太少的文化圈里的朋友，来往是免不了的，也构成我生活的一大有声有色的内容，幸运的是这几年我不必与那些我讨厌而对方也讨厌我的人敷衍应酬。

除了写作我还喜欢画水彩画和油画，年末总自制一些贺年卡寄给朋友。尽管有浪费之处，但总的来说，这几年我对自己生命的消费是划得来的。

## 四

这几年出现了一些引人注目的年轻作家，我已从八十年代初的青年作家演变成了一个年轻人眼中的老作家，心态多少有些不平衡。

1992 年春天我去河南旅游，在信阳鸡公山风景区巧遇一位我的老读者，他现在已是该处索道站的一位经理，他告诉我 1978 年的时候他正在新疆当兵，那时候他竟把我一篇小说《爱情的位置》逐字逐句地誊抄了一遍，稍后又到书店用津贴费的七分之一购买了我的小说集《这里有黄金》，爱不释手，他说尽管如今已有许多非常精彩的爱情小说乃至于写性的佳作，但他个人的青春却是和我那些小说联系在一起的，所以他终生感谢我，并为遇到我本人而非常激动；我也激动，在他的办公室里，我为他题写了这样两句话：

"爱情依旧有位置，这里当然有黄金"

我自忖我的新作尽管仍在不断推出，但已无可能再在任何一位新读者心灵中留下如此的划痕。我憬悟：比我年轻的一代作家自有与他们共度青春蜜月的年轻读者，对于他们的红火，我既不该嫉妒，也不必艳羡，因为在人生的阶梯上，每个人都可以有自己最光辉照人的一级；在文学的园地里，也应该不能总是一株一种花永处最诱人围观的境界；我能有一些老读者系念，已该满足。

在从信阳回北京的火车上，我遇到一位大款，同行者请他猜我是干什么的，他猜过了不下七八种身份，才终于问："你是搞文艺的吧？"但是他在影视导演、演员、画家、摄影师、唱歌的、演奏的、说相声的……范畴里转悠了一大圈，才问道："你是搞文学的？"我点头，但心中很是悲凉，看来他不是故意要猜错，却要绕那么大的弯子，才能把意识的扫描器晃到文学这个行当上来，呜呼，文学，你的位置，已在社会边缘的边缘矣！后来他知道我是写小说的，便闲闲地问："请问您贵姓？"我说："姓刘。"他歪着头，想了想，忽然以一种怀疑的声调——尾音向上挑起，斜睨着我，问："刘心武？"我的同伴顿时笑出了声来，我可是一惊，同时，心里又一热：毕竟他在知道我是写小说并且姓刘以后，所想到并说出口来的头一个名字是我。我不由得问他："你知道我？读过我的小说？"他笑了："原来你就是刘心武！对！十多年前我是读小说的，我还记得读过你的一篇小说叫《如意》，当时很感动，很崇拜你的……"十多年前！我是属于十多年前让人感动甚至于崇拜然而后来就让人遗忘以至猜了半天还想不起来的那种写小说的人，然而，我满足！我幸福！那大款这才递给我他的名片，说今后有什么事可以打电话找他，我很感激，但也清醒地认识到：一、他并没有表示他要读我的新作，他甚至都不问我自那《如意》以后又写了些什么、正在写什么；二、他也没有如我以往碰到的某些行业的人一样，说什么"你们真该来写写我们这一行的甘苦"，他当然有甘苦，但是他头脑里连请作家去深入一下那甘苦、写写那甘苦的客套话都没有，他的甘苦显然绝不需要如我等小说家写成小说然后供他阅读帮他化解，他是绝无兴趣也绝无时间去读小说的……

至今我不能忘怀在那次旅游中遇到的两位老读者，我想当过兵的那位一定还记得我,那位大款现在恐怕又把我忘记了——从这样的邂逅中,我深刻地意识到,有一种超越个人天分、努力之上的强大因素,宰割着个体生命的跃动效应。

从此我该不再自卑,也该不再妄想。

鸡公山是一个避暑胜地,有"四无"之说,即一无需空调,二无需电扇,三无需凉席,四无需蚊帐;我想我的心灵也该进入"四无"状态:

无需虚妄的向往调节内心的焦虑;无需花哨的鼓吹煽动起无聊的舞步;无需强制性的冷刺激以压下发烧的欲望;无需矫情的心理帐幔去躲避蚊虫的叮咬。

## 五

我开过的花朵已然萎落,但我感到自己仍在胀成浑圆的果实。

常有人问我:"你已经写了多少字了?"我总说不清。反正很不少。

且把这三年来出的书算一算,计有:

《一片绿叶对你说》(1989,文艺随笔集,河北教育出版社)

《黑墙》(1990,英文版,小说集,香港中文大学翻译中心)

《王府井万花筒》(1990,小说集,日本版,日本德间书店)

《母校留念》(1990,小说,日本骏河台出版社,大学教材)

《一窗灯火》(1991,小说集,华艺出版社)

《有家可归》(1992,散文集,广东旅游出版社)

《风过耳》(1992,长篇小说,中国青年出版社;香港勤＋缘出版社)

《献给命运的紫罗兰——刘心武谈生存智慧》(1992,上海人民出版社)

《刘心武代表作》(1992,河南人民出版社)

《蓝夜叉》(1992,香港勤＋缘出版社)

已付印,1993年上半年即可见书的还有:

《四牌楼》(长篇小说,上海文艺出版社)

《为你自己高兴》(随笔集,内蒙古人民出版社)

《我是你的朋友》(儿童文学,希望出版社)

《列奥纳多·达·芬奇》（传记，江苏教育出版社）

与 1988 年以前出的书合计，正好五十本。

我这两年散发的作品是大量的，在许多的报刊上设置了个人专栏，计有《新民晚报》上的《人生一瞬》；《解放日报》上的《红楼书简》；《团结报》上的《红楼边角》；《今晚报》上的《人生头一回》和《多味煎饼》；《扬子晚报》上的《灯下拾豆》；《科技日报》上的《窗外人语》；《中国青年报》上的《品味生活》；《中国旅游报月末版》上的《绿叶居随笔》；《追求》杂志社的《凡人活法》；《时代青年》杂志社的《人生感悟》；《辽宁青年》杂志社的《坎儿上侃》；《女友》杂志社的《蓝郁金香》；《文友》杂志社的《心武茶桌》；香港《大公报》上的《冰糖葫芦》和香港《华侨日报》上的《名门杰作》（这个栏名是编辑取的）；此外还在台湾《中国时报周刊》上设过《北京故事》的专栏。

1993 年，昆明宏达实业有限总公司与华艺出版社将开始出版《宏艺文库》，首先推出《王蒙文集》十卷和《刘心武文集》八卷，目前特约编辑朱家信正精心整理我 1992 年以前的作品，文集将大约编入我四百万字的成果，预计 1993 年 10 月一次出齐。

究竟我已经发表出来的作品归里包堆一共有多少字，当然比四百万多，多多少？说不清；我以为也没必要算那么清楚。

只觉得前面路还长，我的座右铭依然是：

只问耕耘，不问收获。

是的，我要记住：我是一个纯粹的作家。

## 六

那一天秋高气爽，我到北京劳动人民文化宫书市去签名售书。

走进书市，只见柏树林里书摊鳞次栉比，书籍花花绿绿，但逛书市的人却没有预计的那么多；我刚走拢我卖书的那个摊位，便听见有人在议论当天一家报纸所刊出的一篇报道，说是今年书市不景气，连签名售书也冷冷清清；一位经理见我去了便马上对我说——"别听他的，没他说的那么邪乎！"

我在签名售书的桌子后面坐了下来，同时售我的两本新书：《风过耳》和《献给命运的紫罗兰》，一开始，不过是三三两两的买主，但十来分钟以后，便排起了队，因为不少购书者要求除签上我的名外还要求写上他或她的名字，有的不止买一本，要求我给他们拟赠与或代购的对象也写上名字，这就比较费工夫，结果不但队伍变长，还发生了拥挤现象，一度几乎把我面前的桌子挤翻……我一共售书约三小时，卖出两种书各约三百五十册。

是些什么人来买我的书？

1992 年 10 月里的那一天，当我从书市出来，漫步在定居了四十多年的还让我爱不够也写不够的古都的胡同里时，我回味着售书时的一幕幕情景……我发现，我最主要的读者群是：1. 七十年代因《班主任》、《爱情的位置》、《醒来吧，弟弟》而激动过的当时很年轻而现在大多已结婚成家的一代，他们有的来买书时不就牵着或抱着自己的孩子吗？他们和我一样，都已消褪了当年的激情，想起我那些粗糙而幼稚的作品，都会不禁莞尔一笑；但是他们在这急剧转变的世道中，仍愿与我的新作品相亲，互慰艰辛人生；2. 八十年代从《如意》、《立体交叉桥》起，追踪阅读我关注社会人生探索人性的作品的一批人，不少是中年人或老年人，他们对"左"味的东西厌恶，对太新潮的东西难以适应，比较愿与我认同；3. 因我八十年代后期个人际遇具有某些戏剧性新闻性而对我葆有持续好奇心的人们，其中有的非常年轻；对于我的书因这一因素而畅销，我该感谢谁呢？ 4. 大学生，不只是文科生；他们对我相当挑剔，一般来说我决非他们喜欢更非崇敬的人物，但他们大约把我当做一个不能不加以考察的某种社会人文标本，所以颇有耐心读我新作并加以评论；售书时，有个大学生从人丛后伸出头来对我喊："刘心武，你写得越来越好了！"他已读过《风过耳》，那天并不买，但觉得不能错过鼓励我的机会，我知道，这样的评价是很不容易从他那样的人嘴里听到的；5. 中、小学教师，他们因我有过十五年的中学教龄，而对我怀有特殊的兴趣乃至厚爱；6. 仍怀有文学梦的人（这样的人在减少，但不会消失），我在毫无背景的情况下，赤手空拳地跃入文坛的经历，对他们当然具有吸引力。好了！在攘攘人世中，我能有这样的一些知音或仅仅是关注者，已足够欣慰了。

我从胡同转到大街上，商业大潮扑面而来，耳边响起摇滚乐演奏的《东方红》，心中的得意感顿时消褪，我再一次清醒地意识到，九十年代初的最大文化消费群钟爱的是王朔的小说和他领衔编写的电视剧、张艺谋导演巩俐主演的电影、崔健所唱的十多年前完全不能想象的歌，而且他们的玩意儿确实好；我为他们高兴，同时明确了自己的位置。

七

《风过耳》甫出，便有报道和评论出现，一家晚报在报道时甚至于用了一个相当耸听的标题：《京城百姓争看〈风过耳〉》；《当代作家评论》杂志一期刊出了五篇新老评论家的文章，搞了一个专辑，出版社立即加印，现印数已达两万两千册；北京电视艺术中心要拍十二集连续剧；香港版也颇引人注目；但这也都还谈不上多么轰动或畅销，我这个人与我写的书都只处于九十年代中国热门文化的边缘。

人在边缘。这很好。前些年我也许是太接近于中心了，不适应，太累。

我自己觉得已写出并拿出面世的作品中最有分量的是《四牌楼》，我把包括自己在内的清白灵魂撕开拷问，探索人性深处的奥秘，全书充满着大悲悯；但在这个人人似乎都在急着找钱、"下海"之声甚嚣尘上的社会转型期中，谁要看这样的书呢？我不抱希望。

但我相信中国仍有非官非商非处中心非在潮头的纯粹卖文为生的如我辈存在的空间，我不下海，我潜心写作，我当然发不了财，却有可能维持一种有尊严的生活。

八

斯德哥尔摩是一个由海边许多小岛用若干桥梁衔接在一起的梦幻般的古城，城里的建筑物一般都不超过六层，顶部均有古典式装饰，这里那里耸起教堂的哥特式尖顶；冬天，那里每到下午四点来钟夜幕便已降落，扇扇窗户里不仅有电灯光，还有幽雅的烛光，异国情调十足。1992 年 11 月至 12 月，我应瑞典学院邀请，由斯坎的纳维亚航空公司提供费用，到北欧三国（瑞典、丹麦、挪威）访问。在瑞典斯德哥尔摩期间，我最喜欢在夜幕下散步，尤其是徜徉在那些长桥之上。这是一次个人访问，我只代表我自己，我没有资格也没有必要更没兴趣代表别人；我在那里发现，近几年那边大学学汉语的学生人数锐减，关注中国当代文学的热情更衰退到接近于冰点，于是，我忍不住抖擞精神，在三国的 5 所大学里作了以《九十年代初的中国大陆新小说》为题的演说，以详实的材料，告诉他们中国大陆九十年代仍有忠于文学的作家，仍有非常有意思的作品，我觉得我的介绍对重新唤起他们对中国大陆当代文学的兴趣起了不小的作用，而这也正是瑞典学院院士马悦然等汉学家希望我发挥的。

瑞典学院是评定诺贝尔文学奖的机构，我应邀聆听了 1992 年诺贝尔文学奖得主德里克·沃尔科特的受奖演说，访问了该机构并探询了关于为什么还没有把该奖颁给中国作家的问题；回国后我写了几篇有关的文章；我很同意马悦然院士的说法，文学是不能进行体育那样的比赛的，诺贝尔文学奖不是世界各国作家的奥林匹克运动，它的目的只不过是为了促进各民族文化的交流和融合。

当我漫步在斯德哥尔摩的古桥上时，我意识到文学的真髓正如这些桥梁，从一颗心通向另一颗心，从一个民族通向另一个民族，最后抵达人类共有的人性深处，引出大颤栗、大悲悯、大欢喜、大神秘……

北欧之行增加了我对世界和人类的理解，当然我的理解仍非深刻，我只是比以前更强烈地意识到：人们到处生活，到处的生活都不容易；渴望到一个更富裕更文明的地方去生活是无可厚非的，但融入一个异境文化谈何容易；融入一个异族文明那就更须付出心灵痛苦的代价；就人的种族归属来说，起码在我们上下五代之内，都会有一种个人的宿命感；不要动不动说他人不爱国，也不要动不动说人家是狭隘的民族主义，事情决不那么简单……

德国海德堡大学知道我到了北欧，便执意要我去那里访问，我在斯德哥尔摩时就婉谢了他们，但他们电话一直追到隆德大学，追到丹麦的哥本哈根和奥胡斯，一再说他们极希望我去，费用他们全包，我可以从那里返回斯德哥尔摩，也可以从那里直接回国，但到头来我还是没有去；我非常喜欢北欧，据说海德堡也有北欧般的宁静，但我离家一个多月，感到疲惫，我想回家了；这里没有任何形而上学的成分，这只不过是性格；我是很乐于出国访问的，只是不习惯一次在外面待太久；我确实是一个恋家的人，因为家这个窝儿才是我真正的私人空间。

当阳光从窗外射进家中，用喷壶给绿叶纷披的巴西木浇水该是多么惬意的事，如果案上还有待续的文章，书架上摆着在国外名胜地的留影，不消说，生命之歌于我算是圆润的了。

九

作为一个卖文为生的人（当然我现在还从杂志社领一份干工资，但靠这份工资是无法维持一家老小的生活的），现在我还处在求大于供的状态中，我感谢所有向我约稿的海内外报刊和出版机构，特别是国内的编辑们，我想我能接到那么多的"定单"，主要是因为我多年来的创作保持着一定的素质，我称得上是一个"老字号"，也算得上是一个熟练工；有的文学爱好者把写作看得太神秘，其实写作也无非是一门手艺罢了，当然把写作这门手艺玩溜了也许比弄例如修鞋那样的手艺确实要困难一些，但作家与修鞋匠实在并没有什么本质的区别。

由于对稿约无法一一应允，我只能是按自己的兴趣和计划来安排写作；而且我有时会写些不适合也不打算投稿的文字；总起来说，我的写作由三种心理因素支配：1. 生命本体的快感；2. 参与社会的愿望；3. "著书都为稻粱谋"。

1993 年除编好文集和为设有个人专栏的报刊提供文章，我还有什么写作计划？这是关注我的朋友们最近常提出的问题。

有一个新长篇的计划。是不是《风过耳》的续篇？（这是许多朋友期望于我的。）从宽泛的意义上算，是；从具体的构思上论，不是。还将有几个中短篇小说。还将有若干零发的散文和随笔。关注我的人都会发现，近几年我写了一些有关《红楼梦》的文字，大体分三类：一是探讨秦可卿出身之谜的论文；一是话说赵姨娘、璜大奶奶、李嬷嬷、秦显家的等角色的人物论；一是揣摩《红楼梦》写作艺术的《红楼边角》；这三种文章都还要继续写。

1993 年，我将把属于自己的不可侵占的生命消费得更慷慨也更潇洒。

十

身外的生活诡谲莫测，世相幻化倥偬，他人身内的心思难以破译，对自己有时亦感到陌生，虽一篇文章里用了很多次"清醒"这个词，却必定还有糊涂的时候，不过我不怨天、不尤人，每天入睡时，很是心安理得：有缺点、有舛错，却绝无阴谋、野心和欺诓，不入帮，不害人，不俯就，不跳踉，我责我负，我作我当；我不渴求长寿，只愿也能像秦牧那样，在结束生命之旅时，干脆利落，避免自己和亲人不必要的痛苦。

真正的人生从五十岁开始吗？永远要觉得自己是年轻的吗？我这方面的想法比较淡薄，我的心境最好和我的年龄相配，对于比我老的我不要那么咄咄逼人，对于比我小的我不要那么舍不得"让戏"，正如我在《五十自戒》那篇文章里说过的，我希望自己今后仍是一个正常的作家。如此而已。

1993 年 2 月 7 日北京绿叶居中

# 宗璞大姐啖饭图

南北两位大姐近三十年来一直对我厚爱。南边的子云大姐去年仙去,北边健在的宗璞大姐于我更加珍贵。宗璞大姐如今打来电话,总是第一句就直奔主题。比如:"你该把读了《西征记》的印象告诉我。"我就马上告诉她,起码有三处我印象深刻。

一处,是有个角色叫哈察明,大有《红楼梦》角色命名的意趣。《红楼梦》里有叫詹光、单聘仁的清客,有叫卜世人的舅舅。哈察明,似乎此人对人与事考察得很分明,他那判断却像哈哈镜,似是而非,极不靠谱。宗璞大姐电话那边轻轻笑了一声,显然满意于我的理解。小说里塑造了一位正人澹台玮。澹台玮义无反顾地参加了西征,与日寇短兵相接。在架设电话线的努力中,他中了日寇枪弹,被送到野战医院疗治。医生哈察明发现澹台玮是背部中弹,就四处散布流言蜚语,意思是只有逃兵才会背部中弹。澹台玮却终于不幸捐躯。我觉得宗璞在叙事文本上处理得非常具有匠心。澹台玮究竟为什么会背部中弹?她在前面战斗描写里交代得非常详尽。澹台玮当时和战友一起冒着敌人炮火架设电话线,为了把已经抛到街对面树上的电话线固定好,澹台玮爬到树上后不得不转身进行操作,而就在那一刻他背上中了敌人枪弹。宗璞说,她常常想到世上有这样一种人,如哈察明,自以为明察秋毫,而其判断常是南辕北辙。原因是总把别人想得太坏,只有自己好。这也是人性的一个方面吧。

另一处,是书里的孟灵己,也就是嵋,她在战地医院里,读到一位不治身亡的女兵遗留的日记,感动不已。当嵋听到中国军队在战场终于实施了反攻时,高高举起裹着那女兵日记的纸包，心里高喊："反攻了！听见吗？"我读到这里非常感动。我不是评论家，我对作品的阅读都属于"私阅读"，许多感受与私人因素有关，因此往往羞于写出。但与宗璞大姐沟通不必顾虑。我大哥刘心世早生宗璞三年，当年就是参加滇缅抗日远征军的热血男儿。二哥刘心人比宗璞大姐长一岁，他常跟我说起那些岁月里我们父母亲友的爱国热情。作为普通的中国人，生活在重庆的我的父母亲友们，当时真诚地拥护蒋介石领导的中国军队抗日，现在有人为汪精卫辩护，但是那时在重庆海关工作的父亲，却自觉地否定汪的"和平救国"路线，主张武力救国。我正出生于抗日战争的相持阶段，父亲给我取名，"心"是排行，只有最后一个字可供明志，他就刻意选了个"武"字。后来把大哥送往远征军作战，他觉得那是养儿的责任，也是全家的光荣。父亲那时编一份《关声》刊物，他把大哥的前线来信摘登在刊物上，吸引到海关以外的读者。我家与宗璞家其实算得世交，我母亲年轻的时候在冯家借住过。如果抠辈分，我应该叫宗璞姑姑。宗璞说还是叫大姐好。我理解宗璞大姐在《西征记》里写出的相当于我父母那一辈及我大哥、二哥和宗璞那一辈（她哥哥就是参加西征的一员），在那段时空里的那种情怀，就是对中国政府的武力抗日不仅坚决拥护，而且热情投入。《西征记》里跳荡着非常真实的那时普通中国人的心脉。

有个中年人翻阅过《西征记》以后对我说，他觉得从《南渡记》《东藏记》到《西征记》，里面似乎没有塑造共产党员的形象。他说看过一些资料，当年的西南联大，共产党的活动其实还是很活跃的，特别到了《西征记》最后，写到抗战胜利后头两年，历史的真实，应该是共产党的地下活动已经开始浮出水面。我跟那中年人讨论时替宗璞大姐解释，就是写这样的小说只能从个人生命体验出发，而不能从概念出发。与宗璞大姐通电话时我转达了那位读者的意见。她对我替她的解释没有照单全收。她说，她写的不是历史书，是小说。"我也写了共产党员啊，名字叫蔚蔚。不过不是光辉万丈的共产党员。"她接着说，这正是第四部《北归记》面临的一个难度。

我告诉她，《西征记》里对我第三个警动处，恰与这个议题有关。就是书里写到抗战胜利后曾有过规模不小的学生反苏大游行。当时地下共产党员是纷纷出动加以劝导阻止的，可是游行还是激昂地进行了，这又不能说成是国民党反动派搞的阴谋。当时的学生看到关于苏联军队在东北占据铁路港口并有诸多不良表现的报导，很气愤，为什么世界反法西斯战争胜利了，中国主权和普通民众还会受到损害？上街游行的学生，那爱国情怀，是和参加远征军的激情相通的。二哥刘心人告诉我，普通的中国人，中国青年，中国学生，当年许多都是具有爱国热情，却并无意识形态崇拜，不懂政治更不明白什么路线斗争的，当年那么多中国百姓尽管对蒋介石政府多有不满，但对他 1937 年公开对日宣战，还是衷心拥戴的，1939 年苏联和纳粹德国还在签订互不侵犯条约，共同侵犯波兰，后来有史家分析，说那是斯大林的政治巧技，为的是争取时间积蓄打击纳粹德国的力量，但你怎么能要求那时的普通中国老百姓懂得其中的玄机？苏联出兵东北的政治意义与一些官兵的具体丑行，普通中国百姓特别是青年学生当时不大懂得前者而被后者激怒，现在回过头去看，又有什么可谴责可否定的呢？但是就有当年参加过那次游行的学生，在 1949 年以后被视为有政治污点。我对宗璞大姐说，你忠于认识忠于感受，在《西征记》里描下一笔，很好。

宗璞大姐说："哎呀，头又晕了。喜欢听你说，可是坚持不了啦。你把你的读后感写出来啊。"我忙说："今天就到这儿。你多保重！"

宗璞曾想要一幅图画，挂在饭厅里。画面右上角写"食不厌精，脍不厌细"，左下角画一个小人，捧着大碗噉饭。她建议我画。又说："1982 年那次跟冯牧一起去兰州，你给我画的像我一直留着。不过那张太小。现在我眼睛只能看大块颜色粗粗线条，你要给我画张大的！"其实她只是要我画幅并非以她为主体的助餐漫画，我却理解成再画一幅她的像，而且是噉饭图。后来再通电话，她知道形成了美丽的误会，高兴地说："那你就画两幅，我全要！"

大姐有命，怎能不从？噉饭，大姐出语有趣。大姐的《东藏记》《西征记》全部都是口述的，虽然口授，仍是字斟句酌。所以还是自己的风格，有书卷气，有些文句仍然相当古雅。"廉颇老矣，尚能饭否"，这是连比大姐小十四岁的我如今也常遇到的诘问。望七的我现在写稍长些的文章就有干体力活的感觉。但宗璞大姐却仍在坚持《野葫芦引》四部曲最后一部《北归记》的写作，而且插空还会写些其他文章，比如极富独特见解情趣盎然的《采访史湘云》。噉饭，又可写成哈饭，更规范则是啖饭，但我却刻意要在画上题为噉饭，因为觉得这样更有趣。愿宗璞大姐每餐多噉，转化为充沛能源，把创作延续下去，我和无数读者一起，等着从《北归记》里获得更多触动心灵的弦音哩。

2010 年 7 月 22 日温榆斋中

# 维熙老哥乒乓图

1978 年深秋，我 36 岁出头，在《十月》丛刊当编辑，心气很盛，到处跑去约稿。那天我要去找从维熙约稿，编辑部一位老大哥完全出于爱护，蔼然劝阻说，你到刘绍棠家找了他，又到北池子招待所找了王蒙……够了吧，怎么又打听出个从维熙？他们虽然"摘帽"，究竟还是"那个"，你别看现在"闯禁区"时髦，实际上呢，说到这儿，他不用语言，而是伸出右手，手掌摊平，然后翻掌，再翻掌，又翻掌，我明白他的意思，我当然也不愿意在"烙饼"的形势里煎熬，但总觉得，事在人为，我们每一个普通人都坚持去做问心无愧的事，那么，点滴积累，也该是世道进步的推动力吧。我以微笑感谢老大哥的关照，却依然骑着自行车去找从维熙。

那时候确定改革开放方针的中共十一届三中全会还没有召开，成为"那个"的人们来年纷纷获得"改正"，我岂能预知，但依我那时的见识，比如从维熙，他已结束劳改，安排到地方文联工作，作为中华人民共和国公民，有发表作品的权利，我作为文学丛刊的编辑找他约稿，顺理成章。

我打听到的地址，是南吉祥胡同。那是夹在魏家胡同和什锦花园胡同之间的一条小胡同。我找到一个杂院，觅到一角的一间小屋，我唤出从维熙的名字，屋里出来个身板壮实的老大妈，她望着我说："我是维熙他妈。"把我让进屋，我问："伯母，维熙什么时候回来？"她告诉我："不巧，他昨天刚走，回山西了。下次什么时候给假回来，不知道咧。"我本以为维熙不过是在北京临时外出，那天会是我跟他的首次谋面，我要告诉他，我上中学的时候，读过他一本薄薄的《七月雨》，具体内容全忘了，但有股淡淡的荷叶气息一直留存在记忆里，现在《十月》固然需要黄钟大吕，荷香藕味的文字也该重新登场……

"炕上坐吧。"从伯母招呼我。那是北方人待客的规矩。实际上也只能是让我坐到床沿。那间屋只有八平方米的样子。一张破旧的上下铺木床，下铺比上铺稍宽；一张更破旧的小书桌和一把椅子；还有一张小炕桌立在窗下，我明白，那是一家人吃饭时才摆平，配着小板凳使用的。唯一令人眼亮的，是书桌上立着两个石膏人像，伯母告诉我："小众鼓捣的。"后来知道，那一年恢复了高考，维熙独生子从众考上了中央美术学院雕塑专业。我从伯母那里得知了维熙山西地址，决定马上给他写信。告别出来后，我一直在琢磨一个非常具体的技术性问题：维熙夫妇都回家的时候，他们一家三代四口是怎么个睡法呢？

给维熙去信后，很快得到回信。他非常看重我到他家找他约稿这个行为。他一直记得，后来《十月》的另一编辑章仲锷也找到南吉祥胡同。他要写作，他要发表，他要归队，他要舒张。他给当时任中组部长的胡耀邦写了信。胡耀邦那时候收到了多么多的要求落实政策的信啊！他都看，尽量回。于是，有一天邮递员把一封胡耀邦的亲笔信送到了南吉祥胡同，送到了那间破旧简陋的小屋。形势快速朝好的方向变化。维熙迁回北京，作品大珠小珠落玉盘般地刊发出来，成为北京市文联专业作家，入了党，又调任中国作家协会任党组成员兼作家出版社总编辑，住房也越换越大。但南吉祥胡同的那间小屋，在中国作协第四次代表大会期间，由中央新闻纪录电影制片厂，在拍摄介绍从维熙的新闻片时，记录了下来。

我后来当然去过从维熙的新家。把我迎进屋，他对母亲说："妈，您还记得他吗？"从伯母大声回应："心武么，我比你见得早咧。"维熙私下跟我说过，他母亲脾气刚硬，经历过大苦大难愈显倔强，进入大福大乐依然话锋锐利。但是从伯母见到我总慈眉善眼，话糯情真，往我手里塞她亲煮的玉米红薯什么的。想想这位老人也真不容易，丈夫早逝，守寡后千辛万苦把儿子拉扯大，成了作家，娶了报社记者为媳妇，却不曾想短春长冬，儿子儿媳双双划成了"那个"而且被送往山西劳改；从家本来住魏家胡同，"史无前例"时被轰到南吉祥胡同的那间小屋，很长的时间里，去找她的人，都怀有"敌情观念"，不是训诫，就是盘问，难怪那天我去了，兴冲冲地唤伯母，为的是要她儿子写文章再登到杂志上，令她耳目一新，她就把我定格在意识里了，尽管以后去亲近乃至巴结维熙的人很多，却似乎都难盖过我给她的第一印象。从伯母前些年仙逝，我心头却仍有她鲜活的音容。

维熙显然从母亲那里遗传到耿介刚硬的性格。他卸任后，背后整他颇狠的人跑去他处作"慰问秀"，他坚不开锁将其拒在门栅之外。然而对于如我当年那样去找他约稿的微行小善，却念念不忘。其实我只不过是早半拍而已，几个月后，找他那样的作家约稿，不仅绝无风险，已是蔚然成风。此桩往事本不值挂齿，但维熙跟我保持三十余年的友好关系，近年见面不多，电话却是每月至少两三次，除了交换最新信息、评议世道人心，偶也忆旧，而他忆旧时，就总还要提到我去南吉祥胡同找他却失之交臂的事。人虽经过寒微，多有不愿提及者，寒微时寒微人予之的小小善意，也多有自己愿意遗忘且希望对方万勿提及的心理，这都可理解；但不仅不愿回顾、提及，还切望抹杀到不留痕迹，这就有些难以理解了；而再进一步，趁某种时机，将知道自己寒微时寒微状的人整肃掉，使其丧失话语权，这种做法，就匪夷所思了！而我，却也偏偏遇到了。对比于维熙，我深感人性中的阴鸷诡谲难测。

维熙的创作，原属孙犁影响下形成的"荷花淀"一派，复出后的作品，如《春水在冰下流》《远去的白帆》《雪落黄河静无声》……光从题目上看，也确有荷香藕味，但经历过苦难磨练后，其笔墨的厚重严峻，已入另番境界。最代表他创作成绩的，我以为是纪实性的《走向混沌》。到了老年，维熙进入了家庭与人际的最佳状态。他常在所居公寓的活动室打乒乓，天热时赤膊上阵，大有宝刀不老的气概。画一幅维熙老哥乒乓图，以志我们三十多年未熄的相惜之情。

2010 年 9 月 7 日温榆斋中

# 李黎小妹饮酒图

　　现在恐怕很多人都不知道孔罗荪了，那一年我三十七岁，站在六十七岁的孔罗荪面前，满心恭敬。那是 1979 年秋天，中国作家协会从被"砸烂"的废墟里重新搭建起来，孔罗荪从上海调到北京，参与中国作协的恢复事宜，他后来成为重新出版的《文艺报》双主编之一（另一主编是冯牧），还经常出面主持也是刚恢复的"外事活动"。孔罗荪是上世纪二十年代末就开始写作的左翼作家，打我第一次到最后一次见到他的十来年里，他总是笑眯眯的，私下里我不免揣度他是否夜里睡觉也仍然笑眯眯，又乱想到在历次劫波里，他是否也正是靠那雷打不动的微笑去坚守去盼望去争取去穿越的？

　　1978 年，胡耀邦等从党内自上而下地使劲，跟群众中自下而上的努力汇合到一起，使得那段岁月几乎月月有新事，日日有进步，到那年年底，就量变而质变，正式确立了改革开放的新格局。我是改革开放最早的受益者之一。从 1978 年我就参与了中国作家协会恢复后最早的一些"外事活动"。记得那时候作协外联部的负责人之一是毕朔望，在新侨饭店第一次举办有外国记者参加的活动时，他底下有的工作人员还赧于大声说英语，毕朔望就鼓励说："怕什么？坦坦荡荡地交流起来！"1979 年我更常得到外联部通知，参与和境外来的作家、记者的会见活动，很快地也就泰然自若了。那天又参加一个人数颇多的见面活动，是孔罗荪出面主持。从境外来的是位美籍华人作家，她是从台湾到美国去定居的。1978 年她的夫君采访过我，并将访谈录在一家香港杂志上刊登出来。那时候积极主动打开门窗跟境外文化界进行交流的不止中国作协一个渠道，有的渠道存在得更早而且态度更加从容，比如三联书店的总经理范用，他就牵头接待了若干港台及从欧美来的人士，孔罗荪那天主持接待的那位女士，正是范用特邀到三联书店作过公开演讲的。虽说我那时已经多次参加涉外活动见过若干境外来客，但都是在指定的场所有领导主持，那天活动刚散，我走到孔罗荪面前，却提出了一个突破性的申请："她想单独到我家做客。我也想请她去。您说可以吗？"

令我没有想到的是，孔罗荪笑眯眯地说："可以呀！"后来，那到我家去的客人跟我说："我也没有想到，我提出来想去你家拜访，孔罗荪笑眯眯地说：只要刘心武欢迎，没问题呀！"

那客人就是李黎。是我有生之年第一次在家里接待的无陪同的境外来客。现在的年轻人会觉得有甚稀奇？但是，那一年，离因"里通外国"而被治罪的若干案例还不到三年。李黎来自美国，又有台湾背景，退回三年，我是无论如何不敢接触她的，遑论把她一个人请到自己家里私叙。

我带李黎乘公共汽车去我家。那时我家住在劲松。劲松老地名叫架松，据说是有座王爷坟，坟园里有棵老松树横着长，于是做了很多支架来支撑它的横体。后来在那里修建新的居民区，就根据著名诗句改叫劲松。1979 年劲松只盖好了一区、二区，马路南面的三区、四区还在建设中，我带李黎下了公共汽车，必须穿越工地，一路坑坑洼洼，有时我得牵着她的手，帮她跨越坑槽，不免道歉，她却说："很好。毕竟是在建设啊！"

我家住在五楼，无电梯，李黎活泼地跟我登到五楼。进了我家，介绍给我妻晓歌，没想到，她们竟一见如故。李黎事后说，她喜欢晓歌的淡定。那时候，常有人会在乍见到境外来客时或大惊小怪、热情过度，或惶惑拘谨、沟通失畅，晓歌则对李黎亲切自然、和善融通。我跟李黎谈起她的短篇小说《西江月》，赞其内涵深刻。李黎问能不能在我们屋里各处参观一下，我就带她在那个小小的单元里转了一下。她说前几天去清华大学拜访过几位在美国时认识的也是从台湾到美国去的人士，他们冲破层层阻挠在前几年就到了大陆，清华大学也给他们安排了宿舍，她觉得我住得比那些人士还好些，单元虽小，但如麻雀五脏俱全，又猜出端赖晓歌的布置，简洁而有雅气。晓歌制出了糖渍红果，用小玻璃盅端出请李黎品尝，多年过去，李黎说还记得那美味。

后来李黎又去了新疆，再到劲松，携来一把维族短刀赠我。那时我在恢复出刊的《收获》杂志上发表了短篇小说《等待决定》，属于主题先行之作，写一位科研人员因为家庭出身不好又有海外关系，公派出国有人阻挠，单位领导开会研究，会议室灯火通明，人们在等待最后决定。我跟李黎说读了她的新作《大风吹》，技巧圆熟，主题在明确与不明确之间，耐人寻味，对比起来自己很惭愧。李黎却说："你那小说不可妄自菲薄。我读了心中自有一种沉重。"当时她没细说，后来知道，她亲生父母兄姊一直生活在上海，因为有她以及她养父母等海外关系，特别是还牵扯到海峡两岸的问题，"等待决定"确实一度是生活中不可躲避的煎熬。

1987年我第一次去美国，李黎邀我去她在圣迭戈的家里做客。她带我参观了著名建筑家路易斯·康设计的萨尔克生物研究所。那是一次何谓现代建筑艺术的启蒙。那个由若干斜置的四层楼房构成的建筑群的中庭，完全由水泥砌成，排斥任何花草树木及盆栽雕塑点缀，只在中轴设一浅槽，营造出一派静寂与安谧。但是，随着日光的变化，建筑群尽头的树丛与海平面却仿佛翻动的书页，令置身在中庭的人心潮随之波动。李黎又带我去那里最大的一个MALL（购物中心）去，不是为了购物，而是见识"不同时间在同一空间里的并置"，也即"后现代主义"的一个典范。

1998年我和晓歌联袂访美，那时因为李黎夫君薛人望已被斯坦福大学礼聘去担任基因方面的研究员，他们迁到斯坦福校区居住，我们就下榻他家，过了一段悠然的日子。我们交往的核心，是文化，李黎开车带我们到旧金山及湾区，进入黑人教堂听新派唱诗，看民俗游行，参观不同的博物馆，到雅人家中进行雅集，他们邀我讲《红楼梦》，我2005年在CCTV-10《百家讲坛》讲述的那些，其实已经在旧金山湾区的派对中小试锋芒了。

在湾区活动时，才发现李黎善饮，而且喜欢中国白酒，尤其欣赏北京牛栏山二锅头。她和那边的两位华裔文化老汉，组成了一个"二锅头会"，半月聚饮清谈一次，号称三杯不醉文思满怀。李黎那几年里轻松连获台湾《联合报》《中国时报》的文学大奖，其长篇小说《袋鼠男人》又拍成了电影，散文随笔特别是游记联翩出版，原来只觉得她文笔洁净俏丽，见她饮酒情景后，再读其文，就感觉其中自有饮者的豪爽仙气在焉。

李黎原名鲍利黎。她生于1948年，比我小六岁。成为朋友以后，我并不"忘年"，把她当小妹看待。她1949年由舅舅舅母带往台湾，在那里长大成人，但直到她从台湾大学毕业，到美国留学取得学位，并在那里定居以后，才知道自己并非养父母所生，生父母和兄姊一直在中国大陆。她在2010年《上海文学》第九期上发表了《昨日之河》，详尽揭示了其身世之谜，强调她在知晓了血缘后，仍坚定地把舅舅舅母认定为爸爸妈妈，"对他们除了那份感情上的孺慕之情，我更怀有一份理性上的感念与感恩。"在斯坦福家中，我和晓歌有时会跟伯母随意闲聊。后来伯母回上海定居，李黎从美国飞去探望，提及还要到北京会心武，伯母立即说："也要见到晓歌了。"李黎和我都觉得她妈妈和晓歌的性格很相近，都是恬淡平和人。可惜伯母和晓歌都仙去了，李黎和我再聚时都有人生倥偬之叹。

李黎青春期里，台湾当局禁读中国大陆包括鲁迅等左翼作家在内的现当代作品，但她为追求真相偷读了不少禁书，到美国后更进行一番恶补。她第一次进入中国大陆才30岁，但说起老作家及其作品如数家珍。她拜访茅盾，茅盾为她的小说集《西江月》题了书名。她拜访艾青后跟我说，艾青额头一侧那个鼓包里，一定藏着许多诗句。2001年她的长篇小说和散文集由作家出版社出版后得到版税，她在日坛公园一家餐馆里请下一个饭局，记得有王世襄袁荃猷、黄苗子郁风、丁聪沈峻、黄宗江阮若珊等多对伉俪光临，还有杨宪益、范用，以及我和晓歌，大家欢聚一堂，言谈极欢。从这样的聚餐可以看出李黎的文化认同。也可惜这里面不少文化老人陆续地驾鹤西去。

2010年溽暑中，我和李黎、人望伉俪及他们的小儿子，在上海再聚。我们预订到了重新装修完的和平饭店七楼餐厅的窗景桌。窗外是外滩及黄浦江和浦东的璀璨景观，窗内是三十多年友情的旧澜新漪。转眼间当年那个在孔罗荪面前询问是否可到我家做客的才逾而立之年的女青年，如今竟也迈过了花甲门槛。岁月没有磨掉我们的谈兴，我们边饮边吃，聊文学，忆故人——上海有我和李黎共同的挚友谈伴李子云，而她竟也如一朵雅云升天而去——我又与人望争论起来，他搞基因研究，在生命复制方面节节推进，而我认为生命复制的科研应该停步，再往下发展就突破生命伦理的底线了！李黎却是支持人望的，指出我乃杞人忧天。餐后我们下楼到得酒吧门外，门里据说仍有老年爵士乐队在演奏怀旧金曲。有客出入，泻出里厢光影和乐句。李黎想跟我进去略饮一杯共舞一曲，争奈人望那天下午刚从旧金山飞抵上海第二天又要飞往成都讲学，时差没倒过来，不比早来上海的李黎精神抖擞，需要早点回住处歇息，我只好快快地跟他们道别。

晓歌逝后李黎人望曾来家里慰我。那天李黎自带了一瓶蓝色白花细颈凸肚的瓷装精品二锅头来，没有饮完，现在仍搁在我餐厅的多宝格里。见酒思友，不禁画出一幅李黎小妹饮酒图，不知远在斯坦福的她，今天能饮一杯无？

2010 年 11 月 4 日温榆斋中

# 热 影

没想到今年八月上海出现百多年未遇的连续 40 度暴热。一出虹桥机场，似有火苗窜舔身体，一眼看到接机的修晓林，浑身冒出汗气，他赶紧把我引进等候的汽车，车里有冷气，但天泄的火苗顽皮地扫荡车窗，不仅挑战人的生理更是挑战人的心理。修晓林是上海文艺出版社的资深编辑，他经手责编过我的长篇小说《四牌楼》，获得过上海优秀长篇小说大奖，还责编过《刘心武侃北京》，这次他又责编了我的新书《命中相遇——刘心武话里有画》，我来参加上海书展，一大半的动力是为了晓林的友情，他明年就届花甲，刚被评为编审，我来为他祝贺，兼感激他为我的书稿付出的辛勤劳动。他问："没想到热得这么厉害吧？"我说："大出意料。但是不后悔来。"

车子朝市区开去。上高架桥前，忽见左侧窗外路边，有几位抢修路面的工人，估计是农民工，个头不高，身躯结实，弯腰紧张地劳作，他们没有光膀子，还穿着不薄的工作服，套着标志施工者的黄红色坎肩，只是不系衣扣，脸上脖子和胸部满是重叠的汗渍，而就在他们身边，一架沥青机轰鸣着，本来就天泄热浪，加上机器的强散热，他们的身体该是怎样的感觉？想到这样一座大都会，再酷热，再严寒，总要保持肌理健康，处于微循环部位的劳作者，总不能停下他们的工作，钦佩、感激，祈祝他们过些天能顺利地领取到工资和高温补助。

当晚在重装后新开张的和平饭店七楼餐厅与来自美国的老朋友李黎、薛人望优俪欢聚，幸运地预订到一张窗景桌，外面就是上海滩的万丈红尘，浦东的明珠塔与摩天楼群被艳丽的灯火装扮得分外妖娆，江上造型各异的观览游轮穿梭不停，凭窗下望，啊呀，外滩的两层平台上，人头攒动如沸粥……面对这幅图画，我们一起感叹——如何解释当下的中国？

饭后下楼，把自己也置身到外滩的人粥中，成为一粒热米，倒也有趣。入夜晚风吝啬，散凉有限，为什么人们还是要来外滩凑热闹？眼见人群中不少举三角形小旗的导游，耳闻八方口音，更有人高马大金发碧眼的洋人们，于是懂得，是世博会大大扩增了此季的旅游客量，天气再热，既来之则览之，而溽暑人粥中的特殊观览印象，其实是人生难得一尝的奇趣。忽见一外国旅游团的中方导游环顾四周举旗高声呼唤一个洋名，她是怕那游客走散，那认真而略带焦急的汗容，是印在我脑中的又一热影。

第二天中午在书展中心活动区签售我的新书，没想到等候签售的读者有的一早就来排队，我不停地签，主办方还是不得不劝退一部分排在后面的，因为下一场的活动时间已到。有位读者汗津津地俯身让我签名并急切地跟我说话，我只听清他是从无锡赶过来的，他身体发散出一股被骄阳烘焙出的强烈体味，我没记住他的面容，却记住了他那从内心里弥散出的支持鼓励我的热气。

原来我对拿到手的新书非常满意，从自己的文章到张颐武的序到袁银昌的装帧设计，特别是修晓林的精心编辑——在如今"无错不成书"的世道里，他能做到几乎没有一个错，其中有一处我使用了"咸鱼翻生"的成语，他和我通过电子邮件反复探讨，按广东话是写成"咸鱼翻生"，意思是都腌制成咸鱼了却忽然活了过来，但晓林说按上海话语汇写还应该是"咸鱼翻身"，意思是咸鱼居然自动翻身，不可能的事情居然出现了，根据具体文意，应取"翻身"写法弃"翻生"写法。当然此词写法还有待专家及读者指正。现在自己再翻阅这本书，却更多地想到，如许多的读者对我如此厚爱，自己的文章，今后要争取写得更好一些，特别是要在雅的气韵和思想的深度上下工夫。

下午转到上海图书馆进行一场题为"文学之路生命启悟"的演讲，我讲了人应该具有大悲悯情怀，这是一个太冷僻或者太奢侈的话题，听众的反应是热烈的，问答中多数问题也是围绕大悲悯情怀的，但几位传媒记者所感兴趣的却是盯着我问对新版《红楼梦》电视剧的意见，我柔和地回答了几句，结果后来传媒上几乎全是"刘心武怒批李少红"的热辣报道，很少介绍我的新书《命中相遇》，更绝无大悲悯的字样，处在"眼球经济"环境里，我深知自己在研究《红楼梦》之外的文章难成热点，大悲悯情怀这类不能引出"PK"的话题会被忽略，但我不会放弃。我回忆起那天，上图演讲厅不仅座无虚席，更有站着和席地而坐的听众，酷热的天气，可爱的热影，生命中这次与上海的再相遇，热影永存不忘！

2010 年 8 月 21 日

# 红了樱桃盼蕉绿

不知外地如何，今年北京地区樱桃是大年，"四月樱桃红满市"，更有郊区果园以不同品种的樱桃招引游客采摘，轻雷过后，也未必是"一树樱桃带雨红"，有采摘客回来以黄玉般的大樱桃赠我，跟我形容说，他们去的那个樱桃园的樱桃是赤橙黄红粉绛紫，视觉上美不胜收，舌蕾则回味无穷。我品尝了几颗，只觉得无限春光穿喉而过。

宋末元初的蒋捷，不怕自我重复，把"流光容易把人抛，红了樱桃，绿了芭蕉"的句子写进了两首词里，历来读者没有责备他的，不少人在吟诵这句子时，心头有涟漪展开乃至波涛翻滚。记得几年前我写过一篇散文《只结一颗樱桃》，现在又写樱桃，那篇散文里就引用了蒋捷的句子，还提到俄罗斯作家契诃夫的剧本《樱桃园》，而现在写这篇文章，也正因为这几天重读了剧本《樱桃园》，但这次想表达的，却是与《只结一颗樱桃》那篇另样的情绪。

在表达心中郁结的情绪之前，岔开一笔，发点这样的牢骚——作家写作，实在比画家、歌者艰辛。画家（特别国画家）可以守着一个题材，甚至没完没了地重复同一构图，欣赏者，特别是买家，不但不会生厌，往往还特别期待其重复，似乎只有那样，展示其拥有的藏品时，才更少争议更具升值空间。歌者也是一样，尽管推出了新专辑，安排了新演出，但到头来你必须重复你的成名曲，你若迟迟不唱，台下歌迷甚至会狂躁地齐声高喊那歌名，直到歌者把那"回锅肉"献出，方能达到演唱会的最高潮。作家呢？不但大部头的作品不能有所重复，就是一篇短文，也必须出新，否则至少会遭遇一大哄。但不断重复的画家、歌者，只要出了名，必财源滚滚，作家若不搞经营，光靠绝不重复的文字挣钱，那就至多成个小富。当然，跳出市场，只求心灵的舒展表达，寻觅知音，那无论画家、歌者、作家，都是一隅的孤独者。

结撰剧本《樱桃园》的安东·契诃夫是个温和的人，他没有激烈的社会变革理念，更与他那个时代的革命弄潮儿鲜有来往，也未必与底层人士有很多的接触沟通，但他竟能凭借敏感的良知与善美的良能，就通过他所熟悉的那些没落贵族和文化人的生活状态与心理波动，写出《第六病室》那样的小说和《樱桃园》那样的剧本，告诉大家恐怖平衡绝非社会和谐，当腐溃开始蔓延到社会生活的细节，形成普遍的滞闷与庸俗，那么，旧生活的解体与新生活的萌生则不可避免。他以樱桃树被无情砍伐的声响来陪伴《樱桃园》的剧终落幕，而且让剧中身份并不相同的年轻人以欢快的声音迎接新生活——其实那未知其详的新生活可能会给他们身心以重创甚至将他们淘汰——他那诗一般的轻喜剧获得了永恒的价值，沙皇时代也好，斯大林时代也好，俄罗斯之外也好，几十年前的和时下的中国，包括近日台湾云门舞集带着改编为舞剧的版本去俄罗斯，《樱桃园》被一再地搬演，相信如我一样捧读其剧本的也仍大有人在、绵延不绝。

《樱桃园》的故事发生在早春，那时树上还只是开着密集的小白花，故事里那些承载着农场主许多温馨往事回忆的樱桃树不待结果就被砍伐了。樱桃无法再在那一空间里成为春天的标志。那地方不可能有芭蕉。就是比俄罗斯纬度低许多的北京，除了极个别的园林有桶栽芭蕉秋冬春皆养于暖房夏天才搬出嵌入庭院，也基本上见不到露天芭蕉，"红了樱桃"固然可作为"春来"符码，"绿了芭蕉"却难以成为"夏至"的标识。但尽管如此，身在北京的我，今年见到大量的樱桃上市，却总有一种"春既然来了，夏还会远么"的情愫萦怀于胸臆。"人间正道是沧桑"，变革是人类社会不可抵抗的轨迹。我们反对暴力特别是暴戾的破坏性变化，但一定要有迎接良性变化的知性与乐观。正是：红了樱桃盼蕉绿，不让时空成凝胶。

# 兰屿有个夏曼·蓝波安

我正在房间里泡温泉澡，有人敲门，爬出温泉池，披上睡衣，到门边问："谁呀？"一个浑厚的声音："夏曼·蓝波安。""就你一个人吗？""一个。"我打开房门，迎进也裹着睡衣的来客。来客身材高大，衣缝里露出隆起的胸肌。他递我一样东西，接过看，是一只前后翘尖的刳木船模型。"为什么送我东西？""因为晚饭的时候，你注意听我讲兰屿的事情。"

那是今年四月在台东，所参加的一项环岛文学研讨活动在那里只进行一天，晚上到一家原住民风情餐馆吃特色菜肴，我正好和夏曼·蓝波安坐在一起，席间欢声笑语、觥筹交错，但我和他一见如故，形成一个小小的语言岛——我问他答，把关于兰屿的种种讲给我听——以至别的人提醒我们该回温泉旅舍时，我们才发现席终人散，竟都没有吃饱。

台湾和海南一样，大岛周边还有若干小岛。对于台湾大岛西边的小岛，金门、马祖和澎湖我耳熟能详，大岛东边，因为听过一首《绿岛小夜曲》，所以知道又名火烧岛的绿岛，并且知道那里曾有囚禁政治犯的监狱，但对于比绿岛更往东南的兰屿，则不在意识之中。其实如果把台湾大岛喻为一块翡翠玉佩，则兰屿是缀在大玉旁的璀璨珍珠。

兰屿也并非一岛之名，大兰屿有雅美人里的达悟族居住，小兰屿则是个无人居住的纯自然岛屿。夏曼·蓝波安祖居兰屿，他这名字，意思是"蓝波安的父亲"，如此命名，是达悟族固有的习俗，一个男子未婚前，名号是临时的，到娶妻生下长子，给长子取妥名字，则从此使用"谁谁谁之父"的名字直到老死。这个民族何以如此重视血脉的延续，以至长辈为晚辈牺牲自己的原有称谓？夏曼·蓝波安告诉我，目前定居在兰屿的达悟人约 2500 个，可知对于这个族群来说，每一个新的生命当然都必须格外珍视。称呼我的这个新朋友，不能为省事叫他"夏曼"，那等于叫他"爸爸"了，也不能叫"蓝波安"，因为很可能他儿子从他身后冒出来答应着。

在全球一体化的浪潮中，很大的族群尚且会遇到如何保持其固有文化传统的问题，何况兰屿岛上人数不足三千的达悟族。我们对高金素梅的名字比较熟悉，她是台湾维护原住民权益的代表性人物。其实我们也该知道一些像夏曼·蓝波安这样的台湾原住民作家。夏曼·蓝波安也曾离开兰屿到大岛上读书、生活，他先在淡江大学学习法语，后来又从"清华大学"研究院毕业，他对兰屿之外的广大世界有见识有体验，也曾在大岛上工作，但最后他选择了回归兰屿，在兰屿与族人一起到山上伐木制作刳木舟，使用自己制作的非火药性鱼枪潜入大海刺射大鱼，意在身体力行地把达悟人固有的生产、生活、思维、信仰方式延续下去，更难能可贵的是，他使用学来的汉语，用方块字，写成优美的散文和小说，把达悟族淳朴生活之美，特别是心灵中的圣洁，呈现给我们，与我们共享。

回到北京，捧读夏曼·蓝波安赠我的大作《冷海情深》，开始不由得联想起美国作家海明威。夏曼·蓝波安无疑是条硬汉，在刳舟、制矛、潜海、射鱼方面，他肯定赛过海明威。海明威最杰出的那篇《老人与海》，写出了人与大鱼与大海与宇宙搏斗中，享受孤独悲欣的诗意。但是细读夏曼·蓝波安的文字，我就断定他并不曾受到海明威的什么影响。他也写人与大鱼与大海与宇宙搏斗，但他咀嚼的却并非个体生命的孤独，而是作为达悟族群体一员的自豪、自强、自信、自尊。他写到在海流交汇处潜到海洋深处捕射比自己身体还要硕大的浪人鲹时的微妙心情，写到划着刳木舟满载而归，根据达悟族的古老族规，把捕获的鱼按男人鱼、女人鱼、老人鱼、女人分娩坐月子的鱼，分别切割为生鱼片和煮成鱼汤，族人欢乐地分食，男子酒后随口吟唱敬畏海神驱赶恶灵的诗句……读了他的文字，我深受感染，尽管我如今生活在一个几乎无处不讲金钱、务求摆脱体力劳动的人文环境中，起码在心灵上，我与达悟族那种以体力劳动为荣、以消耗鱼类必以维护鱼类延续繁衍为前提、以淳朴亲情为人生至乐的思维认同。

当我在电脑上敲着这篇文章时，夏曼·蓝波安也许正如他在《冷海情深》里所写的：“把身体成倒立地潜入水中，趴在礁石上寻找猎物……”“在此刻，我是孤独的，在海里非常地孤伶，而我的感觉是何等的舒畅。”

# 月亮来了

"月亮出来了——这不是诗；月亮来了——这才是诗。"痖弦微笑着说。我很喜欢这种随意交谈中的灵性展现。今年暮春和他在台湾，是第三次见面了，第一次是在二十一年前深秋的广州，第二次是在十六年前残冬的台北，吟出"月亮来了"的这次，是在台中。我们一起参加一个名目很堂皇的研讨会，开幕式有台湾地区领导人出席讲话，议程排得满满的，从台北经台中、台南再绕到东部花莲，一路上是和四所名牌大学合作举办，无论是个人演讲还是专题讨论，都有若干宏大的议题与深入的探究，但我觉得于我收益最大的，还是休息时间里，随缘而聚的那些闲聊。

其实文人相聚，开会是开不出作品来的，倒是茶叙闲聊，有时颇能在三言两语之间，刺激出灵感火花来。痖弦娓娓地讲起与晚年梁实秋的交往，其间提到梁一次跟他说起，早年在山东时，曾有一小姐到梁家做客，临别时问梁借两毛钱，两毛钱能买什么东西？梁心中疑惑嘴里不问，给了她两毛钱；那小姐下楼后，梁从窗口下望，只见那小姐到马路对面的小店，用两毛钱买了一粒糖丸，转身，将糖丸抛起，伸长脖颈，仰头，嘴巴大张，准确无误地将糖丸接住，然后快活地走掉了。那位抛食糖丸的小姐，当时无籍籍名，然而三十几年后，却成为中国大陆叱咤风云的"旗手"。梁先生给痖弦讲这个小镜头时，当然知道这位女性的人生曲线，但不言其他，专形容其人生中那抛食糖丸的一瞬，这，恐怕就是文学家与政论家的区别——他更关心的是作为一个独特的生命，其人性中潜伏的那些微妙因素，这些因素因外部力量的刺激，可能演化为壮丽，也可能变异为乖戾。"她是个坏蛋"——这不是文学；"她人性中的恶如何被调动出来"——这也还不完全是文学；"她携带着如许的人性在如许的世道中演出了正闹喜悲的活剧"——这可能比较接近于文学。

痖弦公布于世的诗作不多，他长年从事文学编辑工作，我认识他的时候他正主持《联合报》副刊。经他扶持在"联副"露头走上文坛并蔚成大家的，可开列出一个长长的名单。他对有苗头的投稿者，认真复信，对于诗歌作者，他的复信会比那稿件长出很多页。席慕容未出名的时候，投来的诗作常是既有妙句也有陈词的状态，痖弦给她回信耐心地分析说明，哪几句是诗，哪几句是败笔，席慕容非常感动，后来就写信给他：您太费时间了，以后，您退稿时只要在妙句下划红线、败句下划蓝线就行了。痖弦照此办理，席慕容果然有悟性，就依那红蓝线修改，有时划红线的也改，再寄回去，洵为好诗，"联副"刊发出来，读者反响强烈。席慕容所保存的那些划着红线蓝线的诗稿，以后无妨公开，算得宝贵的文学史料。我对痖弦说，文学编辑工作固然会影响自身的创作，我自己担任杂志主编的时期，创作量就有所降低，直到卸任后，才又有几部长篇小说的诞生。但从事文学编辑，其实也是一种创作，像您在席慕容诗稿上划红线蓝线，就是一种行为创作啊。痖弦听了追问："你说是什么创作？"我重复："行为创作。"他再重复这个说法，蔼然颔首。

痖弦主持"联副"时期，提倡过"全民写作"，鼓励普通老百姓拿起笔来，用质朴清纯的笔触，写出自己的人生感受，后来汇编成散文集，也曾寄赠给我。那阵子大陆文学界正是从现代派朝后现代派转换时期，"文本颠覆"啊，"文学就是语言"啊，"意义消解"啊，"平面拼贴"啊，"看不懂的才是文学看得懂的不是文学啊"……新潮滚滚，浪花淘尽文豪。痖弦在"联副"刊发的那些普通人写出的世道人情，散发出沃土草根的气息，我读到很喜欢，也深受启发。痖弦告诉我，其实台湾也是一样，打过"现代派"、"后现代派"的摆子，也不是说文学不能那样弄，那也是多元格局里的一些花卉，但是，到头来，写实的，贴近民生疾苦的，表达普通人悲欢离合、喜怒哀乐，特别是能从细微处探测到人性底蕴的，恐怕还是生命力最强，也能拥有最多读者的文学吧。

痖弦退休后定居加拿大温哥华。我和一些与会者要返回北京，他随到桃园机场送行。我们紧紧握别，但没有互留联络方式，我们将相忘于江湖。

# 蜻蜓几时飞

　　四月下旬在台湾花莲东华大学与台湾作家研讨文学，其中一位台湾作家是从事自然写作的，他说大陆有的研究者总把他们的自然写作划归大陆环境文学的范畴，更主观地把他们的写作理念归纳为"天人合一"，对此他加以澄清，指出他们的自然写作与环境文学是有区别的，而写作理念非"天人合一"乃是主张"天人分离"。

　　我对东华大学的那位发言者不熟悉，但与从事自然写作数十年的刘克襄曾有接触交流，可惜刘克襄先生此次未能与会，他若来，我与他可接续以前的交流更深一步地探究，当可更接近台湾自然写作的实情初衷。

　　以刘克襄的自然写作为例，他写的，不是揭露人类社会发展中，如何破坏了自然生态，也不是赞扬有的发展模式如何避免了环境污染，而是抛开人类社会的发展话题，去关注描绘自然生态中的细微个案，也就是说，他秉承的不是"天人合一"的理念，而是将"天"（自然本身）和"人"（谋求"现代化"的生灵）分离开来，强调"天"的客体本质，唤醒人们对"人外存在"的尊重与敬畏。他有一本书详尽地记录了一片台湾湿地上的植物与动物的生存状态。他还曾仔细观察一处公路隧道出入口处，蜻蜓最早的出现与最晚的消隐。他和另一些自然写作者都并不反对别人持有善意的"天人合一"的理念，但我们实在不该想当然地把他们的理念概括为"尊重自然就是天人合一"，他们那"天人分离"的眼光与理念，我们可以不去认同，却可以作为一种扩展视野的参考。

　　于是想到北京的自然生命形态。北京什刹海等处的野鸭及其他水禽，已成为北京市民亲近自然生命的标志性载体。这当然是大好事。但还可以把这种对人以外的自然生命的关怀，推及到更渺小的生命体上。比如说蜻蜓。

北京是个湖城。这一点被许多人忽略。光是市区之内，就有广阔的湖面，如果扩大到四环之内，那水域就更多。水禽固然值得关注，体态小许多的蜻蜓，也值得关注。北京的蜻蜓，已经伴随着世代的北京市民，延续其生命群体到了今天。那么，我们北京是否有那样的写作者，去观察蜻蜓，描写蜻蜓，将其作为一种有尊严的生命，加以展示，来启迪北京市民的灵性呢？

世界上蜻蜓的种类繁多，其中有几种，是北京独有的。比如有一种就叫北京大蜓。还有叫马奇异春蜓、长痣绿蜓、峻蜓、闪蓝丽大蜻……的。其中有一种叫巨圆臀大蜓的，是北京和台湾两地共有而世界上其他地域罕见的，它的成虫体长可达 7.7 厘米，翅长则可达 12 厘米，十分显眼也格外美丽。

蜻蜓的幼虫叫水虿，会在水里生存很久，等到夏天来临，再通过几次蜕变，成为飞动的蜻蜓，北京市民俗称蜻蜓成虫为蚂螂。我小的时候，曾和胡同四合院里的小朋友们，带着捕虫网，到城外湿地去游玩，在那里曾见到娃娃鱼，捞到过小虾小蟹，拾到过鹌鹑蛋，采集到过蒲草长出的蒲棒……当然也捕捉到过许多形态各异的蜻蜓。但是，若有人问我，北京水域的蜻蜓，是从几时开始飞动的？却至今说不清道不明。像今年这么春寒，大概蜻蜓孵化蜕变展翅凌空的时间，就会往后推移。但是蜻蜓的消隐，稍加细心，看到蜻蜓点水，那是它们在甩籽，则可以推算出其大概日期，一般立秋时节，蜻蜓就相继谢幕而去了。

我们需要有对宏大社会话题的关注与表达，却也需要有对自然细部的观察与体味，这二者并不矛盾，如能融会贯通，则议大事可更具理性，处小事可更展胸襟。海峡那边有孜孜不倦进行自然写作的作家，海峡这边其实也并非没有相似的作家。比如前些时去世的福建作家郭风，他的那些写林间生态、花草风物的散文，看似雕虫小技，其实具有丰富意蕴。二十几年前，我曾与他交谈求教，他蔼然回应，又曾在看到我偶然刊发在报刊上的水彩画后，来信鼓励并请我给他按尺寸画两幅画，说是要拿去陈列在其居所中，我不揣冒昧，将涂雅稚作寄给了他，记得其中一幅似乎就是"映日荷花别样红"，画了只蜻蜓，立在荷花之上。北京今夏蜻蜓几时飞？我会到玉渊潭、紫竹院等处去作观察，文章未必写得出，但图画总能挥洒出几幅来的吧。

# 别生春天的气

1913 年仲春时节，法京巴黎香榭丽舍剧院上演一出新戏，是斯特拉文斯基谱曲的芭蕾舞剧《春之祭》。早在 1910 年，斯特拉文斯基就以芭蕾舞剧《火鸟》引出响动。《火鸟》曲谱对传统音乐已经具有颠覆性，那么，《春之祭》是迷途知返，还是"又向荒唐演大荒"呢？

乐池里指挥棒一动，序曲响起，观众大吃一惊。短短的几个乐句，竟变调数次，哪有惯常的旋律感，竟是稀奇古怪的声响……大幕拉开，无论是乐曲还是舞蹈，都新锐到前所未闻前所未见，于是，习惯了传统艺术的观众忍不住先发出嘘声，继而开始高声抗议，而支持创新期望突破的观众则勒令抗议者闭嘴，双方先是互嘘，继而对骂，更发展到有人跳上座椅，有的产生肢体冲突，有的丢掷物品……剧场大乱。这就是上世纪初有名的"《春之祭》事件"，成为西方文艺发展史上的一个重要路标。

斯特拉文斯基那一年刚三十冒头，人在生命的仲春，怎甘循规蹈矩缩手缩脚，他要把心中的灵感恣肆喷涌，力破陈腐旧套，刻意别开生面，在《春之祭》中他呕心沥血，营造出了一种崭新的音乐幻境，他知道必将遭遇排拒，但也坚信能获知音。尽管事前已有心理准备，但好比一树刚要从笔状花苞绽放成盅形花朵的玉兰，突遭寒风骤雨，首演的大混乱，还是出乎他的意料，令他无比沮丧。

沮丧的情绪还是比较容易调整的。如果是生气，生大气，气个倒仰，那就伤元，不是那么容易恢复如常的了。那天有一人，就对这场首演动了大气。一般来说，对于新锐表达，反对的说是哗众取宠，中性的说是标新立异，支持的说是新意迭出，大家完全可以各持己见，不必硬去达成共识，更不必动气伤元。那天生大气的，是音乐界老前辈圣桑。圣桑当时已经七十八岁，比斯特拉文斯基大四十七岁。圣桑对年轻一辈的作曲家的背离传统，"瞎鼓捣"，时时有气。那时候德彪西弄出些印象主义的音乐作品，他不爱听，这很正常，但他反对别人喜欢，这就有点不正常了，他批评印象主义音乐，说"如果这也算是音乐，那么调色板也能算是画了"。他就死不能明白，有一种抽象派的图画就是颜色的涂抹与堆积，也偏有人不是假装而是真的从那样的图画中获得愉悦。按说斯特拉文斯基已有《火鸟》的前科，圣桑完全不必去剧院看《春之祭》首演，耳不闻为安、眼不见为净嘛，但这位前辈本着"音乐吾家事"的习性，穿戴得整整齐齐地去了，当然，开演就受到强刺激，先是气得瑟瑟发抖，后来，观众对骂起来，他颤颤巍巍地拂袖而去。

几个月后，《春之祭》再演，不爱看的没去，喜欢的都去，演出结束，狂喜的观众把斯特拉文斯基轮流扛在肩上，在巴黎街头欢呼着游行。第二天报纸上的评论有弹有赞。圣桑还是生气。他真不该生春天的气。"乱花迷眼"、"群莺乱舞"，许多人的感觉是这花"乱开"莺"乱舞"恰是春之魅力，圣桑却痛感"礼崩乐坏怎一个乱字了得"！

作曲家拉威尔比斯特拉文斯基大七岁，这位兄长辈的音乐人在《春之祭》首演时也去观看。两派观众起冲突，拉威尔一直大声劝架，他建议双方都安静下来，面对演出本身。拉威尔虽然跟前卫新锐的作曲家们关系很好，但他自己的曲风却是折中的，既不完全颠覆传统，也有刻意创新之处。

其实春来也会春去，正是在四季的嬗替中，大自然和人类呈现出多元缤纷而非一元独霸的瑰丽景象。斯特拉文斯基后来的作品，又从《春之祭》的极端做派柔和下来，甚至接近了新古典主义。

我的书房里还保留着放胶木大唱盘的针转留声机，我会偶尔听一遍《春之祭》，或者听一遍拉威尔的《西班牙狂想曲》，但听得较多的，其实还是圣桑的《动物狂欢节》，特别是其中的那曲《天鹅》，又特别是在1905年由俄罗斯新锐舞蹈家福金改编为芭蕾舞易名《天鹅之死》的那个舞曲版本。圣桑真不该为春天生气，他应该憬悟，《春之祭》这种东西只是在为人类增添更多的欣赏选择，他那古典主义的《天鹅》是并不会因为"新春"的出现就成为秋叶残雪的，更何况，福金编舞后的那版《天鹅之死》，分明也是"春之乱花"，把他那本来是优雅闲适的格调，演绎成悲从中来的凄怆，结果，不就使得他的《天鹅》，成为不朽的旋律了吗？

# 携鸡童子

听说香港"四大天王"的首席张学友决定放弃上央视春晚，理由是需同家人一起旅游。

我知道一位农村少年，他们中学的一个歌舞节目被所在地区的电视台相中，作为领唱兼领舞，他本是可以在当地电视台初五的一台贺岁节目里露脸的，可是他却毅然放弃了那难得的机会，他的理由，是那天他必须充当携鸡童子。

从市里请来负责加工排练的导演对他说："你放弃的不是一次电视晚会，你可能就此错过一生的转机。"他的班主任老师觉得无法以语言表达遗憾，就长长地叹息了一声。

十六岁的少年却坚定地选择了初五携鸡童子的角色。他们那地区农村婚嫁的习俗尽管早已融进了诸多现代化的因素，但携鸡童子的设置，毫不夸张地说，已经有上千年的承传。就是在男方到女方家里迎亲的队伍里，一定要有一个携鸡童子。这童子要携带一只硕大古老的木制鸡笼——目前村里只有一家还藏有祖传的这种大鸡笼，最上面既是吊钩又是提手的部件包着铜皮，每家娶媳妇，都会借用——装进一只五彩大公鸡，随浩荡的迎亲队伍——如今是乘坐一队大红色的小轿车——来到新娘家，新娘家的嫂子、弟娃、妹子等，会拿来一只肥硕的母鸡，装进那鸡笼里，在打开笼栅接收母鸡的当口，携鸡童子和新娘家的人都会十分紧张，因为他们有着绝然相反的任务，在新娘家的那方来说，他们应该趁那机会拔下公鸡的毛来，最好拔掉三根，然后拿去给尚未走出闺房的新娘，给她塞到鞋垫下，让她踩。那是有讲头的："一打公，二打婆，三打女婿，好祥和！"意思是作为新媳妇进了门子，她不但不会受欺负，还能把公婆丈夫制伏，当然，目的还是为了全家的日子祥和，但这祥和需以她为主心骨。这村俗真是很有意思，颇有"女权主义"的色泽。那么作为携鸡童子呢，他在开笼栅接受母鸡时，则一方面要脸挂笑容一团和气，一方面则要以身体的巧妙挪动遮挡，来防止对方拔去公鸡的鸡毛。据说这风俗延续到今天，女方的人只是虚张声势，并不一定真的拔毛，携鸡童子也只当是一场游戏，故意遮来挡去，双方笑作一团。公鸡母鸡会合关上笼栅后，女方就不能再伸手去拔毛了，携鸡童子即使护卫成功，任务还只完成了一半，另一半任务，是要趁女方不备，偷走女方家一对茶盅或饭碗，将其双双再搁进鸡笼中。笼中的公鸡母鸡自然是象征男婚女嫁，一对盅碗则象征着永远富足。其实携鸡童子只是装作"偷"，女方早准备妥上好的盅碗装作"看守粗心"，携鸡童子会倒掉盅碗里的红糖水，"趁其不备"将其摞起来放进鸡笼。然后，携鸡童子会随着迎亲的队伍返回男方家里，当然，那队伍里会增添新娘及新娘家送亲的眷属。

有人会认为携鸡童子在婚礼中的行为好笑吗？会认为充当生活里的携鸡童子这么个角色，大大地不如在当地电视贺岁黄金档里露脸吗？

我知道，就有那么一位农村少年，他堂哥虎年初五娶媳妇，他自愿放弃上当地电视台春晚，甘愿为堂哥去充当携鸡童子。按当地习俗，携鸡童子的第一人选是新郎的未成年的亲弟弟，如无亲弟则请堂弟代劳。他堂兄无亲弟，也无其他堂弟，他到虎年才足十六岁，家族和他自己都认为他责无旁贷。

可是现在离虎年春节还早。他们的那个很有地区特色的歌舞节目仍在不断加工中。替代他的演员虽然已经选好，也很努力地在排练，市里来的导演还是觉得他应该选择上电视，不理解那农村婚俗里的携鸡童子的角色为什么会深深地吸引着这个有着文艺才能的少年。班主任问导演，能不能跟电视台说说，反正每个节目都有先期录像备用，他们学校选上的这个歌舞节目，就让这个学生参与录像，到虎年初五那天把这节目的录像镶嵌进去，那天他去当他的携鸡童子，亲友和他自己当晚还能从电视上看到，岂不皆大欢喜？导演就说："那哪儿能行！如果当晚可以不去现场，张学友他也不必婉拒央视春晚了。"

十六岁的农村少年，为即将充当携鸡童子向往不已。问他为什么，他说："说不出来。反正以后我娶媳妇，也不能少了携鸡童子。"

# 漂亮时光

时间、时光这两个同义词里，我喜欢时光；美丽、漂亮这两个同义词里，我钟情漂亮。

岁月推移里有许多光影，非常漂亮。

前几天去看望范用前辈，他卧在床上，见有客来，改卧为坐，靠着枕头垛，自己话不多，却为来客的话音欣喜，微笑着。

他耳朵收音不清，客人说的，大概只听真三四成，凡听真切的，如是提问，他会朗声回答。

那天李黎先去。李黎和许多海外文化人一样，老早就称他范公，他总是摇头摆手，表示担当不起。我理解，跟已故的夏衍等相比，他的辈分，要低一些，人们称夏公他觉得恰切，称他为公，他必然谦辞。但李黎认识他时，他已近花甲，而李黎才刚过而立之年，两人很快成为忘年交，李黎随一些海外文化人热络地唤他范公，实在是出于真心尊重而非虚礼矫情。

在开放尚未成为中心国策时，北京的三联书店成为连通海外文化人的一个重要渠道。1979 年以后，这个渠道更得风气之先，李黎就是在 1980 年由范用邀请到北京来的台湾旅美作家，除安排她在三联书店主办的报告会上演讲，介绍她自己和台湾以及由台赴美的作家们的创作，还创造条件，让李黎成为最早去西藏、新疆参观的海外华文作家之一。

我结识李黎，就是由范用牵线。那比他以三联书店正式邀请李黎演讲更早，是在 1978 年。说来有趣，当时从美国飞来北京，要求见我，并提出进行采访，希望我畅谈《班主任》创作经历的，是薛人望先生，我那以前因为已经参加过三联书店接待海外来客的活动，知道范用是"外事通"，就打电话问他，能接受这样的采访吗？那采访，显然是要在海外发表的，会不会给我惹事呢？他蔼然地回答我说：没关系，薛人望和夫人李黎，都是前些年在美国出现的中国留学生发起的"保钓爱国运动"的积极分子，李黎的短篇小说内涵深刻，艺术手法圆熟，你更可以跟她切磋一番。于是，我就在华侨饭店接受了薛人望的采访，后来他整理出很长的采访录，在海外署名张华发表出来，采访录最后注明来不及请我过目，他文责自负。采访录中我的话究竟是否恰当另说，单就他的提问、插话及简短响应而言，他那对自己祖国的挚爱之心，切盼祖国发生良性变化的热望，洋溢在字里行间，"张华"这个笔名，当然是"张扬我中华"的寓意了。

薛人望的本行是研究基因的。他先在美国加州大学圣迭戈校区任教，后被斯坦福大学以优厚待遇挖走，专门从事研究。这下可好，他在学术领域节节上升，文学方面就只剩下一个空兴趣，再无闲暇读文学作品，更不可能以采访录来"张扬中华"了。如今他是中国科学院动物研究所特聘研究员和博士导师，每次来京总是专心致志地搞他的业务，简直没有时间会朋友。

但李黎却成为我的好友。每到北京，她一定要看望范公，也一定要会我。这回我们约齐来到范公床前，不免兴奋地谈论起来。话题涉及到我近年来的揭秘《红楼梦》，李黎笑我"秦学"居然自圆其说，范公儿子在旁提及当年王昆仑以太愚笔名写成的《红楼梦人物论》就是他父亲安排出版并设计封面的。范公让儿子把两册书分赠李黎和我。那是一本素雅的小书，封面上印着"时光"两个大字，又以较小的字印着"范用与三联书店七十年"，还有两张淡色照片，一张是满脸稚气的少年范用，一张是满脸沧桑的老年范用。李黎和我齐请范公签名，他大声说了好几遍："这不是我的书啊！"意思是此书非他所著，签名不妥。那是三联书店为表彰他将一生精力献给这家出版社成绩累累而编印的，里面有展现他历年风采的照片和手迹，以及他亲自设计的书籍封面。拗不过李黎和我的请求，范公接过笔为我们在书上签了名。回家一看，签的是"赠心武兄，范用"。随手一翻，就翻到了他设计的美国房龙《宽容》的书影。

三联版《宽容》对我曾有过启蒙作用，范公的封面设计堪称雅而不拗、靓而不痞。

在我心中，三联是"宽容"的象征，而范公身上所体现出的宽容，施恩于我，难以忘怀。时光漂亮，镶嵌在时光里的范公的生命漂亮。愿范公在漂亮时光里乐享长寿。

2009 年 11 月 1 日

# 气破桑

我农村书房温榆斋附近，还有些"田野碎片"。不去看那些渐次推进的楼盘，专去造访"田野碎片"，一时还颇能享受野趣。

在小河湾岸上，有三株古树。一株是桑。一株是杨。一株是樗。樗是文雅的称谓，村里人叫它樗的只剩几个比我还老的老头儿，一般人就叫做臭椿。那臭椿已经高达三十多米，因为离机场近，已在它冠顶安装示高闪烁灯的计划。

桑树尽管比臭椿矮一半，但是树身十分粗壮。桑树的树皮布满大大小小的鼓瘤，而且，在树身中央，明显地裂开好大一个口子，那口子边缘鼓起打褶子的厚唇，仿佛在哑声呼叫。但这些鼓瘤裂口并不妨碍桑树的继续发育。每到春末，树上多男孩，树下多女孩，个个嘴巴乌紫，他们也曾拿些桑葚孝敬我这个爷爷，确实甜得醉心。

杨树不知从什么时候长歪了，因此整体高度不如臭椿。据说原来杨树是一大排，后来说品种不好，春天要扬好几十天的绒毛，都伐了另种白蜡杆，但是这棵被村里几代人唤作"大傻杨"的却特意保留了下来。因为这樗、桑、杨构成一个流传古远的典故，即使"大傻杨"入春还散绒毛，而且笔直地歪着显得有些邪兴，缺一不可嘛，也就任它那么与臭椿、古桑为邻。

四十多岁以上的村友，不止一个，跟我侃过那个"臭椿封王，气破桑，笑傻杨"的典故。话说当年朱元璋跟元兵作战，也曾一败涂地过。有回甚至只剩几个随从，饭都没得吃。勉勉强强摸到这三株树下，东倒西歪且苟延残喘一时。忽然一阵风过，熟透的桑葚落到他们身上，搁到嘴里一吃，赛过佳肴！于是起身采集桑葚，饱餐一顿，补充到能量，体力大得恢复。又忽然见地平线上烟尘滚滚，想是追兵来了，于是赶快撤离。后来朱元璋又反败为胜，率领大军路过昔日桑葚救命之地，但季节却是秋天，朱元璋哪有什么植物学知识，见那臭椿树花落后结出的东西仿佛就是当年赖以活命的果实，马上指着它封为树王，然后又见地平线烟尘滚滚，知是元兵溃逃，立刻指挥部下追杀，匆匆离去。臭椿无功受封，桑树当即气破肚皮，而杨树只知看笑话，叶子仿佛千百巴掌，噼噼啪啪响成一片，傻乎乎不知停息。

朱元璋何尝领兵到过我们这个村子。但天下之树同种皆类。记得曾在江南蚕乡参观过桑林，细细一想，也怪，那些桑树都很年轻，却几乎株株都有"气破肚"的痕迹。

桑树气性虽大，破肚却并非"剖腹自尽"，它生气归生气，成长归成长。也许，反倒是被那不公道的待遇，激励出了更多的创造力，它把桑叶光合得更能肥蚕，把桑葚孕育得更加香甜。人生一世，哪有事事、处处全逢公道、公平的时候。对公道、公平的追求应当坚忍不拔。对不公道、不公平的事情，无论是落到自己头上的，还是摊到他人特别是群体身上的，"气不打一处来"的义愤是该有的。但世间的公道、公平不能靠神仙皇帝、帝王将相赐予。典故里的气破肚子的桑树还是太在乎朱元璋的态度了。桑树或会说我甘心给予救助，并不图回报，但你因做事粗糙而误回报给臭椿了，臭椿何德何能？气破肚皮在于此。

其实所谓"树王"完全是个虚妄的名分。桑树完全不必为虚妄的名分动气。"大傻杨"面对不公道的局面，无法扶助公道本可原谅，却"站在干岸儿上看笑话"，不气无功受禄，却嘲劳而无功，是最无聊也最猥琐的一种态度。

我问过不止一位侃典故的村友：那封了王的臭椿，究竟是怎么个态度表现呢？他们都说"讲给我听的老辈子没提"。这类民间典故其实是在代代口传的过程里，可以不断添油加醋的，但对臭椿，至少在我们这村的口传版本里，始终是一个未露感情的角色。

臭椿固然不堪"树王"封号之重，其材质虽不堪打造家具，却可用来制造胶合板、造纸；叶可养樗蚕；种子可榨油；根皮供药用；特别是，可作为黄土高原及石灰岩山地造林的重要树种，而且在工矿区作为绿化树有利吸敛烟尘。

这样看来，世界本多样，"天生我材必有用"，连傻笑的杨树也自有其堪用之处。我徘徊在三株古树下，悟出许多妙谛。

# 团结塔

　　1949 年 10 月 1 日北京宣布中华人民共和国成立的时候，重庆还没有解放。国民党政权瘫痪了，国民党军队溃散了，但是，一时解放军还没有开进来，是一种政治真空状态。记得 10 月 1 日那天，父母兄姊围在家中一台木壳收音机旁，听北京传来的声音，那声波时断时续，有时会忽然非常清晰，他们就欢呼起来，有时又会杂音嘶嘶，他们就头靠头凑拢收音机屏住气，希望能听清楚划时代的报导。

　　我那时七岁，对大人的世界似懂非懂。听大人说，新中国的国旗是五星红旗，我就从妈妈的针线盒里找出线滚子，蹬着椅子把线滚子套在窗帘杆的尽头，还找来细绳儿，搭在线滚子当中，又把一方红手帕一侧固定在一根筷子上，就升起红旗来，大人们注意到我，让我别淘气，我就嚷："快给我往红旗上添五颗星！"

　　解放军是 12 月 1 日正式开进重庆的。解放军带来了响亮的歌声。有的歌，哥哥姐姐说老早会唱，那就是当年电影《风云儿女》的插曲、现在的国歌《义勇军进行曲》。有的歌，对于重庆人来说是完全新鲜的。我那时虽然小，却也很快学会了《没有共产党就没有新中国》《解放区的天是明朗的天》《团结就是力量》这三首旋律雄壮的歌。

　　唱是会唱，但是，对于有的歌词，却只是囫囵着发音，既不知道是哪些字，更不懂得其含义。比如《团结就是力量》里有两句"向着法西斯蒂开火，让一切不民主的制度死亡"，我虽然也知唱"向着"、"让"时要发狠，甚至情不自禁地使劲跺一下脚，但是，却不知究竟应该恨什么要什么，甚至乱唱成"向着滑稽弟弟开火，让一切不面煮的蜘蛛死亡"，气得姐姐假装要给我栗凿，警告说："再乱唱我就凿下去了！"妈妈见了就说："他还小，你别急嘛，他长大了就懂了。"又跟姐姐感叹："国民党连李公仆、闻一多都派特务杀。那不是法西斯蒂是什么？不民主的制度，该死啊！"姐姐就说："闻一多的《红烛》写得真好！"妈妈却摇头："他那些新诗啊，我就读不出味道，还是他研究岑嘉州那本书见功力！"我最烦大人当我面说些我越来越听不懂的话，就双脚蹦："那个李公公，还有闻多多，他们是谁呀？"妈妈和姐姐就笑，而这时候，一位大哥哥却跑来，说是又要借我去搭"团结塔"了，我马上主动拉住他的手，欢蹦乱跳要去，妈妈就嘱咐："莫摔了啊！"大哥哥笑答："放心！"

所谓搭"团结塔"，就是在群众集会的最后，大家唱新歌时，唱到《团结就是力量》，会由一群青年学生，边唱边舞，重复数遍，到最后一遍，大体上是旋转成一个圆形，然后在唱到"向着法西斯蒂开火"时，便开始按预定的方式叠罗汉，而那位强壮的大哥哥，在歌曲最后那"向着太阳向着自由向着新中国放出万丈光芒"结束句时，他已经置身三层最高处了，而我则被跃送到他手掌中，他便将我拦腰高举，我便将双臂尽量往上斜伸，手掌尽量摩天，形成一个"光芒万丈"的火焰之巅……

被强壮的手臂高高举起，在艳阳下努力舒展自己的身躯手臂，望见下面无数张兴奋地仰望的笑脸，深深地嵌在了我童年的记忆里。而那是与《团结就是力量》这首歌紧密联系在一起的。

1950 年，父亲被召至北京参与新中国人民海关的创建。我们全家顺长江而下，过三峡，出夔门，到武汉，又从那里乘火车，到达新中国首都。一路上，《团结就是力量》的歌声不绝于耳。我在北京长大成人，也就渐渐懂得"向着法西斯蒂开火，让一切不民主的制度死亡"这两句歌词的含义与重量。1979 年，参加一次大型活动，又听见了《团结就是力量》的雄壮歌声，本来就心烫眼热，那歌声一入耳，随新中国一起跋涉的种种甘苦顿时浓酽沸腾，不禁想再次跃上"团结塔"顶端，张臂形成一个"光芒万丈"的火焰之巅。

《团结就是力量》这首歌一定会被久远地唱下去。其词作者牧虹，曲作者卢肃。从网上查到卢肃资料，这首歌本是他谱曲的一个同名独幕歌剧的终曲，他已于 2004 年去世。但一直没查到牧虹的资料。《团结就是力量》这个独幕歌剧，有可能重上舞台么？

2009 年 9 月

# 镜前邵燕祥

　　一九七八年春天，我在当时的北京出版社参与《十月》的创办。当时全国还没有任何一家大型的文学刊物复刊或创刊，所以，我们创办《十月》就仿佛是一个壮举了。那时我才三十五岁，血气方刚，算是比较敢想敢干的一个马前卒。大型的文学刊物需要分量厚重的好作品，一时从哪儿征集呢？大家献计献策，我建议，向一九五七年"出过事"，然而已然"没事了"的一批作家约稿。那时党中央尚未公开作出给"反右"中错划的人平反的决定，还没看到哪家报刊上有那样的作家出来亮相，所以我的建议虽然大家都不反对，却也有人质疑：行吗？我坚持说：既然"摘帽"了，那就不是"右派"了，其作品怎么不能发表？我亲自去找了若干那样的作家，请他们给《十月》写稿，又对同一个编辑室负责编诗集的邵燚说："你跟你哥哥说，请他给《十月》写诗！"邵燚是邵燕祥的妹妹，当时她未参与《十月》的工作，不太清楚我们的筹划，听我那样说，挺高兴，可似乎又有点不敢相信，她笑着问我："能吗？"我大声地说："怎么不能？你快帮我们要！"过些天我催问，她说："可惜他现在手头一时没有！"

　　怎么没有？现在我手头有一册广东教育出版社去年年底出版的《三家诗》，"三家"指的是黄苗子、杨宪益和邵燕祥。邵燕祥的部分叫《小蜂房集》，翻开一查，那里面就有他在一九七八年春天写的《伊春四绝选二》和《诗到》，其中《诗到》写于该年四月五日："诗到痛时无比兴，直言为赋泪痕干。光明岁月长流水，黑暗从来转瞬看。"真情实感，大气磅礴，但当时他却不把这"刚出炉的烧饼"通过《十月》送给广大读者尝新，而庋藏到十八年后才奉献出来，虽犹未为晚，却徒让《爱情的位置》那样粗陋的东西在《十月》创刊号上去引发了轰动，我不能不对他彼时对我热情约稿的婉谢耿耿于怀！

细细把玩《小蜂房集》，倒渐渐心平气和起来。据编者如水说，燕祥的这些旧体诗词，过去在友人中传抄咏诵，甚获好评，却基本上从未公开刊行过。为什么此前从未公开刊行？有客观原因，也有主观原因。主观原因是什么？这需燕祥自己出来剖白，我不拟妄猜。我于旧体诗词完全不通，让我做是一句也做不出来的，但不会做并不等于不能欣赏，就好比我绝对跳不来芭蕾舞，却颇能欣赏芭蕾舞一样。据说有的人一见今人做的旧体诗词，首先便要检验其是否符合平仄对仗韵脚等方面的格律，并以善用典故与擅点化古人诗句为上佳，我这方面本懵懂无知，又最怕在诗句里遇上重迭尤其是冷僻的典故，故读时全凭自己的艺术直觉，感觉好便称好，感觉别扭各色便无论方家如何喝彩，还是弃之不诵。燕祥的这些旧体诗词，令我产生审美快感的颇多。比如一九七三年写的《春日》："春水满池塘，柳丝忽已长。神追蝴蝶失，风动菜花黄。"乍读觉得挺像昔年丰子恺的画意，再一细品，又忽有时代的惆怅弥漫心头。又如一九七七年十月九日写的《我家住在山外山》，这该算是一首"拟古风"还是一首"自度曲"？写地质普查队员"羊肠曲尽无路行，足蹬石硖牵古藤"的情怀，优美，健康，而又具有象征意味，这样的诗怎么当年也不给《十月》发表？《小蜂房集》中因重大时事感发而成的不少，有的或嫌直露，有的却含蓄得令人心悸，有的句子是"打油"味道，却气息不恶，甚至令人发噱。另有不少是与人唱和或赠友的，我最欣赏《赠蓝翎》："人称面目如兄弟，谁料身心共死生。一样文章归老辣，几番炉冶羡纯青。出书入史君真棒，摘句寻章我未成。纵马何愁花谢去，春风不趁趁秋风。"燕祥的回忆录《沉船》与蓝翎的《龙卷风》，我都细读过，因之这诗里的"活典"我了然于心。

不过我读书，往往有自己很"怪"的感受角度。燕祥惠赠我《沉船》，我读毕问他的一个问题是："为什么开你的批斗会，要在乒乓球室里？"他觉得那简直不应该构成一个问题。我却读到那多次提及的乒乓球室而鼻酸心紧。"乒乓球室"这四个字所构成的符码，原本只应令人想到轻松欢快的生之乐趣，却不料在燕祥的回忆录里成为了《人怎样变成垃圾》的悲剧见证！我还特别注意到，《沉船》首章中他写到，一九五八年他政治生命终结后，回到宿舍，"坐在穿衣镜对面一张软椅里，看着镜里不是自己的自己……这时候不知从哪一道（大脑）沟回传导来一句古老的信号：'好头颅，谁当斫之！'"接下去，竟引发出七面约五千字的有关思绪性回忆，读来令人歔欷不止。

　　显然燕祥是有照镜的习惯甚或癖好的。照镜不仅是观颜，更是自省其心。《小蜂房集》中有一九七二年暮春写的《揽镜见脱发》："只牵一发动全身，魂绕江河湖海滨。自信情根生热土，人间有味是红尘。"一九七三年元日凌晨的《明月篇》则云："……中宵肠百转，露冷心内热。我爱明月如镜悬，万里月明待我妆台侧！"《乙卯中秋夜未是稿》："光景如流水自东，月明如扇扇秋风。桂花有梦银河浅，过客无心药味浓。一任汗颜羞未掩，只缘芒背语难通。推窗我自觅妆镜，人间团扇已无踪。"爱镜如此，则不是镜甚至也非形似镜（如明月）的，也可权当镜来照，比如以观剧代照镜，于是我们从一九八七年七月写的《观天声汉剧团〈思凡〉〈祭头巾〉》中看到："……俺只道人生有味是红尘，要紧是做一个活生生、骨铮铮、心如口、口如心、有血有肉、堂堂正正、无拘无束自由人。"我以为，这便恰是镜前的邵燕祥。

1997 年 8 月 2 日凌晨于绿叶居

## 附录一 刘心武文学活动大事记

**1942 年**

6 月 4 日生于四川省成都市育婴堂街。

后在重庆度过童年。

父母兄姊均热爱文学艺术，深受家庭熏陶。

**1950 年**

随父母迁居北京，从此定居北京。

在隆福寺小学上小学，在北京 21 中上初中。

**1958 年**

在北京 65 中上高中。

给若干报刊投稿，屡被退稿。

8 月，在《读书》杂志发表《谈〈第四十一〉》一文，是投稿第一次成功。

**1959 年**

在《北京晚报》"五色土"副刊陆续发表一些儿童诗、小小说。

为中央人民广播电台少儿部《小喇叭》（对学龄前儿童广播）编写若干节目；其中快板剧《咕咚》经编辑加工、录制后大受欢迎；"文革"中录音带被销毁；1991 年重新录制播出。

### 1961 年

毕业于北京师范专科学校，分配到北京 13 中任教。

至"文革"前，在《北京晚报》《中国青年报》《人民日报》《光明日报》《大公报》《北京日报》《体育报》《儿童时代》《大众电影》等报刊上发表了约 70 篇小小说、散文、杂文、评论等文章。

### 1966—1976 年

"文革"中，因 1964 年曾发表过一篇关于京剧的文章，以"反江青"罪名被冲击。

1974 年后再试写作，曾写一关于"教育革命"的长篇小说，由出版社联系获准脱产修改，但终未达到当时出版要求。

### 1976 年

写出一个大院里孩子们同坏蛋斗争的中篇小说《睁大你的眼睛》并得以出版（北京人民出版社）。

又按照当时政治要求写出一些短篇小说、散文，有的到次年才收入多人合集中出版。

调到北京人民出版社（后恢复"文革"前社名：北京出版社）文艺编辑室当编辑。

### 1977 年

11 月，在《人民文学》杂志发表短篇小说《班主任》，产生重大影响——被认为是"伤痕文学"的开山作，也是"新时期文学"的发端；从此成名。

从《班主任》后，写作冲破懵懂，沿着认定的方向跋涉，穿越风云，锲而不舍。

### 1978 年

参加《十月》杂志（开始以丛书名义出版）创刊工作，在创刊号上发表短篇小说《爱情的位置》，经转载和广播，影响巨大。

在《中国青年》杂志上发表短篇小说《醒来吧，弟弟》，反应亦极强烈。

《班主任》《爱情的位置》《醒来吧，弟弟》均被改编为广播剧，由中央人民广播电台多次广播，《醒来吧，弟弟》被搬上话剧舞台；此年发表的短篇小说《穿米黄色大衣的青年》亦由电台播出。

### 1979 年

在首届全国优秀短篇小说评奖中《班主任》获第一名。颁奖会上,从茅盾先生手中接过奖状。

参加中国作家协会第三次全国代表大会,被选为中国作家协会理事。

成为中华全国青年联合会常务委员,至 1993 年卸任。

9 月,参加中国作家代表团访问罗马尼亚,此系"文革"后第一个作家出访团。

在《人民文学》杂志发表短篇小说《我爱每一片绿叶》,写作技巧有长足进步。

### 1980 年

调至北京市文联当专业作家。

《我爱每一片绿叶》获 1979 年全国优秀短篇小说奖。

《看不见的朋友》获 1954—1979 年第二届全国少年儿童文学创作奖。

在《十月》杂志发表中篇小说《如意》,其弘扬人道主义的追求引起争议。

出版《刘心武短篇小说选》(北京出版社)。

### 1981 年

在《十月》杂志发表中篇小说《立体交叉桥》,引出更大争议,一些评论家认为"调子低沉"是步入了写作上的歧途,另有评论家则认为此作标志着刘心武的小说创作在反映现实、探索人性及艺术工力上均达到了新的水平。

5 月,应日本文艺春秋社邀请访问日本。

### 1982 年

应导演黄健中之请,改编《如意》;北京电影制片厂拍成彩色艺术片《如意》。

### 1983 年

11 月,参加中国电影代表团赴法国,在南特"三大洲电影节"上,《如意》在开幕式上放映,获好评;后陆续在法国、西德电视台播出。

**1984 年**

冬，应邀访问西德，参加"中德大学生会见活动"，并在波恩大学、波鸿大学与威尔兹堡大学介绍中国当代文学。

年底，参加中国作家协会第四次全国代表大会，再次当选为理事。

在《当代》文学双月刊第5、6期连载长篇小说《钟鼓楼》。

**1985 年**

出版长篇小说《钟鼓楼》(人民文学出版社)，并获第二届茅盾文学奖。

因《钟鼓楼》获北京市政府嘉奖。

7月，在《人民文学》杂志发表纪实小说《5·19长镜头》，反响强烈。

11月，又在《人民文学》杂志发表纪实小说《公共汽车咏叹调》，引起轰动。

**1986 年**

年初，应当代文艺出版社邀请访问香港。

6月，调中国作家协会人民文学杂志社，任常务副主编。

在《收获》杂志设《私人照相簿》专栏，进行图文交融的文本尝试。

散文集《垂柳集》出版，冰心为之作序。

**1987 年**

1月，被任命为《人民文学》杂志主编。

2月，《人民文学》杂志1、2期合刊发表马建写的小说《亮出你的舌苔或空空荡荡》违反民族政策，承担责任，停职检查。

9月，复职。

冬，应邀赴美国访问。参观美洲华侨日报；在哥伦比亚大学、三一学院、哈佛大学、麻省理工学院、康奈尔大学、芝加哥大学、旧金山大学、斯坦福大学、伯克利加州大学、洛杉矶加州大学、圣迭戈加州大学等处演讲，介绍中国当代文学，并参观耶鲁大学；参加爱荷华大学"作家写作中心"的纪念活动；游览华盛顿等地。

**1988 年**

3月，应香港《大公报》邀请，赴香港参加五十周年报庆活动；在《大公报》安排的大型报告会上作关于改革开放与文学创作的报告。

5月，应法国文化部邀请，参加中国作家代表团访问法国，除在巴黎活动外，还访问了西部港口城市圣·拉扎尔。

《私人照相簿》在香港出版（南粤出版社）。

《我可不怕十三岁》获 1980—1985 年全国优秀儿童文学奖。

以上数年中，若干小说、散文还分别获得过《当代》《十月》《小说月报》《小说选刊》《中篇小说选刊》《儿童文学》《北方文学》等杂志，《人民日报》《文汇报》等报纸副刊的奖；拍成电视剧播出的有《没工夫叹息》《熄灭》（电视剧名《火苗》）《今夏流行明黄色》《到远处去发信》《非重点》《公共汽车咏叹调》和八集连续剧《钟鼓楼》；若干作品被英国、美国、西德、苏联、日本、瑞士、瑞典、法国、意大利等国翻译为英、德、俄、日、法、意、瑞典等文字出版；自1987年起被世界上有威望的英国欧罗巴出版社《世界名人录》收入词条。

**1989 年**

春，应香港中文大学翻译中心邀请，与妻子吕晓歌赴香港访问。

**1990 年**

3月，以任届期满，免去《人民文学》杂志主编职务。

香港中文大学翻译中心编译的英文小说集《黑墙与其他故事》出版。

秋，以"鱼山"笔名在《钟山》杂志发表中篇小说《曹叔》。

**1991 年**

出版小说集《一窗灯火》。

除小说外，开始发表大量散文、随笔。

**1992 年**

长篇小说《风过耳》在内地（中国青年出版社）、香港（勤＋缘出版社）分别出版，反响颇为强烈。

长篇小说《四牌楼》完稿，交上海文艺出版社出版。

《献给命运的紫罗兰——刘心武谈生存智慧》由上海人民出版社出版，受到读者欢迎。

在《收获》杂志发表中篇小说《小墩子》，后由中国电视剧制作中心改编拍摄为电视连续剧。

至该年，在海内外出版的个人专著按不同版本计已达 43 种。

在《红楼梦学刊》1992 年第二辑上发表论文《秦可卿出身未必寒微》，在"红学"界和读者中均引起注意；另有若干《红楼梦》人物论和《红楼边角》专栏文章发表。

冬，应瑞典学院邀请（斯堪的纳维亚航空公司赞助）赴北欧访问；在挪威奥斯陆大学、瑞典斯德哥尔摩大学和隆德大学、丹麦哥本哈根大学和奥胡斯大学的东亚系汉学专业以《九十年代初的中国小说》为题作学术报告；12 月 7 日，参加诺贝尔文学奖有关活动，听 1992 年得主德里克·沃尔科特发表受奖演说。

### 1993 年

华艺出版社出版《刘心武文集》（1—8 卷）。

出版长篇小说《四牌楼》。

### 1994 年

1 月，应台湾《中国时报》邀请赴台参加"两岸三地文学研讨会"。

《四牌楼》获上海优秀长篇小说大奖，到沪领奖。

### 1995 年

出版随笔集《人生非梦总难醒》（上海人民出版社）。

出版小说集《仙人承露盘》（华艺出版社）。

### 1996 年

出版长篇小说《栖凤楼》（人民文学出版社）。至此，由《钟鼓楼》《四牌楼》《栖凤楼》构成的"三楼"长篇小说系列竣工。

应《南洋商报》邀请赴马来西亚访问并顺访新加坡。

## 1997 年

应日本文化交流基金会邀请，与妻子吕晓歌访问日本。其长篇小说《钟鼓楼》、儿童文学作品《我是你的朋友》、短篇小说《王府井万花筒》等此前已相继译为日文在日本出版。

## 1998 年

建筑评论集《我眼中的建筑与环境》由中国建筑工业出版社出版，在建筑界产生影响。

应美国科罗拉多大学邀请，赴美参加金庸作品国际研讨会，在会上提交关于《鹿鼎记》的论文《失父：一种生存困境》。

## 1999 年

出版纪实性长篇小说《树与林同在》（山东画报出版社）。

出版《红楼三钗之谜》（华艺出版社）。

赴新加坡出席国际环境文学研讨会。

## 2000 年

应邀访问法国，并应英中协会和伦敦大学邀请，从巴黎赴伦敦讲《红楼梦》。

至此年底在海内外出版的个人专著（不含文集）按不同版本计达 101 种。

## 2001 年

出版包含建筑评论的随笔集《在忧郁中升华》（文汇出版社）。

在北京电视台录制播出《刘心武谈建筑》系列节目。

## 2002 年

出版小说集《京漂女》（中国文联出版社），自绘插图。

应澳大利亚雪梨华文写作协会邀请赴澳大利亚访问。

**2003 年**

以马来西亚《星洲日报》世界华人文学"花踪奖"评委身份赴吉隆坡参加相关活动。

台湾联经出版社出版小说集《人面鱼》。此前台湾已出版过刘心武多种作品,如皇冠出版社出版了《钟鼓楼》,幼狮文化事业公司出版了《四牌楼》《为他人默默许愿》（散文集）。

**2004 年**

赴法参加巴黎书展活动。书展上展出了译为法文的著作有小说《树与林同在》《护城河边的灰姑娘》《尘与汗》《人面鱼》《如意》与歌剧剧本《老舍之死》。

建筑评论集《材质之美》由中国建材工业出版社出版。

小说集《站冰》出版（人民文学出版社），自绘封面插图。

**2005 年**

出版集历年研红成果的《红楼望月》（书海出版社）。

应 CCTV-10（中央电视台科学教育频道）《百家讲坛》邀请,录制播出《刘心武揭秘〈红楼梦〉》系列节目23集,反响强烈,引出争议。

《刘心武揭秘〈红楼梦〉》第一、二部相继出版（东方出版社），畅销。

**2006 年**

应美国华美协会邀请,赴纽约在哥伦比亚大学讲《红楼梦》。

应邀参加香港书展。

出版《刘心武揭秘古本〈红楼梦〉》（人民出版社）。

**2007 年**

继续应邀到 CCTV-10《百家讲坛》录制节目,并出版《刘心武揭秘〈红楼梦〉》第三部、第四部（东方出版社）。

访问俄罗斯。

**2008 年**

出版随笔集《健康携梦人》（中国海关出版社）。

自 1986 年出版《垂柳集》，至此所出版的散文随笔集已逾 30 种。

### 2009 年

在《上海文学》杂志开《十二幅画》专栏，每期发表一篇写人物命运的大散文，并配发自己的画作。

4 月，妻子吕晓歌病逝，著长文《那边多美呀！》悼念。

### 2010 年

再应 CCTV-10《百家讲坛》邀请，录制播出《〈红楼梦〉的真故事》系列节目。至此在《百家讲坛》录制播出关于《红楼梦》的个人系列讲座累计达 61 集。

出版《〈红楼梦〉的真故事》（凤凰联动·江苏人民出版社），在争议声中畅销。

4 月，应台湾新地文学社邀请赴台参加"21 世纪世界华文文学高峰会议"。

出版《命中相遇——刘心武话里有画》（上海文艺出版社）。

加快《刘心武续〈红楼梦〉》的写作，次年完成推出。

至本年底，在海内外出版的个人专著，文集不算在内，重印亦不算，按不同版本计达 182 种（按不同书名计则为 141 种）。

年底，筹备编辑《刘心武文存》。

## 附录二 刘心武著作书目

只包括在中国大陆、台湾、香港和海外出版的书（同一著作每种版本单列）；不包括散发于报刊尚未出书的篇目，亦不包括多人合集中的篇目。第一个数字表示不同版本的排序；[ ]中的数字表示剔除同一书名的版本后的排序；注意：文集8卷不参加排序。

### 1976 年

1.[1]《睁大你的眼睛》[儿童文学·中篇小说]

北京人民出版社 1976 年 1 月第一版

### 1978 年

2.[2]《母校留念》[儿童文学·小说集]

中国少年儿童出版社 1978 年 7 月第一版

### 1979 年

3.[3]《小猴吃瓜果》[低幼读物·画册]

少年儿童出版社 1979 年 4 月第一版

1980 年 6 月第二次印刷

4.[4]《班主任》[短篇小说集]

中国青年出版社 1979 年 6 月第一版

**1980 年**

5.[5]《我是你的朋友》[ 儿童文学·中篇小说 ]

北京出版社 1980 年 7 月第一版

6.[6]《绿叶与黄金》[ 中短篇小说集 ]

广东人民出版社 1980 年 8 月第一版

7.[7]《刘心武短篇小说集》

北京出版社 1980 年 9 月第一版

**1981 年**

8.《这里有黄金》[ 中短篇小说集 ]

广东人民出版社 1981 年 4 月第二次印刷

有平装、软精装两种

9.[8]《大眼猫》[ 中短篇小说集 ]

浙江人民出版社 1981 年 8 月第一版

**1982 年**

10.[9]《如意》[ 中篇小说集 ]

北京出版社 1982 年 5 月第一版

**1983 年**

11.[10]《中国现代作家选（Ⅲ）刘心武〈我爱每一片绿叶〉〈深谷小溪默默流〉》

[ 日本 ] 东方书店 1983 年第一版

12.[11]《同文学青年对话》

文化艺术出版社 1983 年 10 月第一版

**1984 年**

13.[12]《到远处去发信》[ 中短篇小说集 ]

四川人民出版社 1984 年 4 月第一版

有平装、软精装两种

14.[13]《如意》[ 电影文学剧本 ]( 与戴宗安联合署名 )

中国电影出版社 1984 年 6 月第一版

## 1985 年

15.[14]《嘉陵江流进血管》[ 中篇小说集 ]

陕西人民出版社 1985 年 2 月第一版

16.[15]《日程紧迫》[ 中短篇小说集 ]

群众出版社 1985 年 5 月第一版

17.[16]《我可不怕十三岁》[ 儿童文学集 ]

新世纪出版社 1985 年 8 月第一版

18.[17]《钟鼓楼》[ 长篇小说 ]

人民文学出版社 1985 年 11 月第一版

有平装、软精装两种

1986 年 5 月第二次印刷

## 1986 年

19.[18]《公共汽车咏叹调》[ 纪实小说 ]

湖南文艺出版社 1986 年 1 月第一版

20.[19]《都会咏叹调》[ 小说集 ]

作家出版社 1986 年 3 月第一版

21.[20]《垂柳集》[ 散文集 ]

陕西人民出版社 1986 年 4 月第一版

22.[21]《立体交叉桥》[ 中短篇小说集 ]

人民文学出版社 1986 年 6 月第一版

有平装、软精装两种

23.[22]《巴黎郁金香》[ 访法散文集 ]

群众出版社 1986 年 11 月第一版

24.[23]《木变石戒指》[中短篇小说集]

青海人民出版社 1986 年 12 月第一版

## 1987 年

25. *Little Monkey Triesto Eat Fruit* [科学童话·英文]

海豚出版社 1987 年第一版

有平装、精装两种

26.[24]《斜坡文谈》[文学理论]

上海文艺出版社 1987 年 4 月第一版

27.[25]《王府井万花筒》[中篇小说集]

湖南文艺出版社 1987 年 9 月第一版

有平装、精装两种

28.[26]《5·19 长镜头》[小说自选集]

四川文艺出版社 1987 年 11 月第一版

29.げくけきの友たちだ[《我是你的朋友》日译本]

[日本]福武书店 1987 年 12 月第一版

1989 年 3 月第二版

1991 年 2 月第三版

## 1988 年

30.[27]《她有一头披肩发》[中短篇小说集]

台湾林白出版社 1988 年 4 月第一版

31.《钟鼓楼》[长篇小说]

香港天地图书有限公司 1988 年第一版

1993 年第二版

32.[28]《私人照相簿》[纪实文学]

香港南粤出版社 1988 年 11 月第一版

33.[29]《刘心武代表作》

　　　　　　　　　　黄河文艺出版社 1988 年 12 月第一版

**1989 年**

34.《小猴吃瓜果》[ 科学童话 ]

　　　　　　　　开明出版社、海豚出版社 1989 年 3 月第一版

35.《钟鼓楼》[ 长篇小说 ]

　　　　　　　　　　台湾皇冠出版社 1989 年 4 月第一版

36.[30]《一片绿叶对你说》[ 文艺随笔集 ]

　　　　　　　　　　河北教育出版社 1989 年 12 月第一版

**1990 年**

37.[31]*BLACK WALLS AND OTHER STORIES* [ 小说集·英译本 ]

　　　　　　　香港中文大学翻译中心出版社 1990 年第一版

38.[32]《王府井万花镜》[ 小说集·日译本 ]

　　　　　　　　　[ 日本 ] 德间书店 1990 年 9 月第一版

**1991 年**

39.《母校留念》[ 小说 ]

　　　　　　　　[ 日本 ] 骏河台出版社 1991 年 4 月第一版

40.[33]《一窗灯火》[ 中短篇小说集 ]

　　　　　　　　　　华艺出版社 1991 年 10 月第一版

　　　　　　　　　　　　　　1993 年第二次印刷

**1992 年**

41.[34]《列奥纳多·达·芬奇》[ 传记 ]

　　　　　　　　　　江苏教育出版社 1992 年 5 月第一版

42.[35]《有家可归》[ 散文随笔集 ]

　　　　　　　　　　广东旅游出版社 1992 年 5 月第一版

43.[36]《风过耳》[长篇小说]

中国青年出版社 1992 年 6 月第一版

1992 年 12 月第二次印刷

1993 年 3 月第三次印刷

1995 年 8 月第五次印刷

1996 年 3 月第六次印刷

44.《风过耳》[长篇小说]

香港勤 + 缘出版社 1992 年 6 月第一版

45.[37]《献给命运的紫罗兰——刘心武谈生存智慧》

上海人民出版社 1992 年 6 月第一版

1992 年 11 月第二次印刷

1995 年第三次印刷

1996 年 12 月第五次印刷

46.《刘心武代表作》

河南人民出版社 1992 年 6 月第二次印刷·精装本

47.[38]《蓝夜叉》[中篇小说集]

香港勤 + 缘出版社 1992 年 9 月第一版

## 1993 年

48.《北京下町物语》[长篇小说·《钟鼓楼》日译本]

[日本] 东京恒文社 1993 年 2 月第一版

1994 年第二版

49.[39]《为你自己高兴》[随笔集]

内蒙古人民出版社 1993 年 3 月第一版

50.[40]《杀星》[小说集]

香港勤 + 缘出版社 1993 年 6 月第一版

51.《我是你的朋友》[儿童文学·中篇小说·增订本]

希望出版社 1993 年 6 月第一版

52.[41]《四牌楼》[长篇小说]

上海文艺出版社 1993 年 6 月第一版

1994 年 4 月第二次印刷

1996 年 11 月第三次印刷

53.[42]《我是怎样的一个瓶子》[随笔集]

成都出版社 1993 年 9 月第一版

54.[43]《沉默交流》[随笔集]

中国华侨出版社 1993 年 11 月第一版

55.[44]《富心有术》[随笔集]

群众出版社 1993 年 12 月第一版

1995 年第二次印刷

56.[45]《中国当代名人随笔·刘心武卷》

陕西人民出版社 1993 年 12 月第一版

☆《刘心武文集》[1—8 卷]

华艺出版社 1993 年 12 月第一版

☆《刘心武文集·〈钟鼓楼〉〈风过耳〉》(简装本)

☆《刘心武文集·〈四牌楼〉〈无尽的长廊〉》(简装本)

华艺出版社 1997 年 5 月第一版

## 1994 年

57.[46]《仰望苍天》[随笔集]

知识出版社 1994 年 1 月第一版

1995 年第二次印刷

东方出版中心 1996 年 7 月第三次印刷

58.[47]《男扮女妆与女扮男妆》[随笔集]

中原农民出版社 1994 年 2 月第一版

59.[48]《相对一笑》[小小说集]

中共中央党校出版社 1994 年 2 月第一版

60.[49]《秦可卿之死》[专著]

华艺出版社 1994 年 5 月第一版

61.《四牌楼》[长篇小说]

台湾幼狮文化事业公司 1994 年 8 月第一版

62.[50]《为他人默默许愿》[散文集]

台湾幼狮文化事业公司 1994 年 10 月第一版

63.[51]《中国小说名家新作丛书·刘心武卷》

海峡文艺出版社 1994 年 11 月第一版

64.[52]《红楼梦(缩写本)》

接力出版社 1994 年 12 月第一版

1995 年第二次印刷

1997 年 9 月第三次印刷

**1995 年**

65.[53]《人生非梦总难醒》[名人日记·随笔集]

上海人民出版社 1995 年 1 月第一版

1995 年 3 月第二次印刷

66.[54]《仙人承露盘》[中短篇小说集]

华艺出版社 1995 年 3 月第一版

67.[55]《女性与城市》[杂文集]

中国城市出版社 1995 年 6 月第一版

68.《我是你的朋友》[增订版·"小学生成才书架"系列之一]

希望出版社 1995 年 10 月第一版

69.《在胡同里转悠》[随笔集]

陕西人民出版社 1995 年 11 月第二次印刷

70.[56]《刘心武海外游记》

华文出版社 1995 年 12 月第一版

## 1996 年

71.[57]《刘心武小说精选》

太白文艺出版社 1996 年 2 月第一版

72.[58]《开发心大陆》[随笔集]

吉林人民出版社 1996 年 3 月第一版

1997 年 3 月第二次印刷

73.[59]《你哼的什么歌》[散文集]

湖南文艺出版社 1996 年 6 月第一版

74.[60]《刘心武张颐武对话录——"后世纪"的文化了望》

漓江出版社 1996 年 7 月第一版

75.[61]《边缘有光》[随笔集]

汉语大辞典出版社 1996 年 8 月第一版

76.[62]《刘心武怪诞小说自选集》

漓江出版社 1996 年 8 月第一版

有平装、精装两种

77.[63]《我是刘心武》

团结出版社 1996 年 9 月第一版

78.[64]《刘心武》[中国当代作家选集丛书]

人民文学出版社 1996 年 10 月第一版

79.[65]《刘心武杂文自选集》

百花文艺出版社 1996 年 11 月第一版

80.《秦可卿之死》[修订本]

华艺出版社 1996 年 11 月第二版

81.[66]《栖凤楼》[长篇小说]

人民文学出版社 1996 年 12 月第一版
1998 年 3 月第二次印刷

## 1997 年

82.[67]《封神演义（缩写本）》

接力出版社 1997 年 1 月第一版
1997 年 9 月第二次印刷

83.[68]《胡同串子》[中短篇小说集]

北京燕山出版社 1997 年 8 月第一版

84.《私人照相簿》

上海远东出版社 1997 年 9 月第一版
1998 年 2 月第二次印刷
2000 年换封面版权页称 2000 年 6 月第二次印刷

85.[69]《中国儿童文学名家作品精选丛书·刘心武作品精选》

河北少年儿童出版社 1997 年 8 月第一版

86.[70]《把嘴张圆》[随笔集]

上海远东出版社 1997 年 12 月第一版

## 1998 年

87.[71]《我眼中的建筑与环境》[建筑评论随笔集]

中国建筑工业出版 1998 年 5 月第一版
1999 年 5 月第二次印刷
2000 年 6 月第三次印刷
2001 年 6 月第四次印刷

88.《钟鼓楼》[ 茅盾文学奖获奖书系 ]

人民文学出版社 1998 年 3 月第一次印刷

1998 年 7 月第二次印刷

1998 年 8 月第三次印刷

1999 年 3 月第四次印刷

2000 年 1 月第五次印刷

2001 年 1 月第六次印刷

2001 年 8 月第七次印刷

2002 年 8 月第八次印刷

2003 年 1 月第九次印刷

## 1999 年

89.[72]《树与林同在》[ 非虚构长篇小说 ]

山东画报出版社 1999 年 3 月第一版

2006 年 7 月第二次印刷

90.[73]《八十六颗星星》( *The Eighty-Six Stars* ) [ 儿童文学小说·汉英对照 ]

希望出版社 1999 年 6 月第一版

91.[74]《红楼三钗之谜》[ 刘心武红学探佚精品 ]

华艺出版社 1999 年 9 月第一版

92.[75]《蓝玫瑰》[ 中短篇小说集 ]

中国华侨出版社 1999 年 10 月第一版

93.[76]《过隧道的心情》[ 随笔集 ]

华东师范大学出版社 1999 年 12 月第一版

## 2000 年

94.[77]《一切都还来得及》[ 随笔集 ]

中国青年出版社 2000 年 1 月第一版

95.[78]《善的教育》[ 儿童文学 ]

辽宁少年儿童出版社 2000 年 2 月第一版

96.[79] Le Talisman（version bilingue)[《如意》中、法文对照版 ]

Librarie You Feng 2000 年 4 月第一版

97.[80]《作家刘心武〈班主任〉手迹》

线装书局 2000 年 5 月第一版

98.[81]《楼前白玉兰》[ 小小说集 ]

中国广播电视出版社 2000 年 7 月第一版

99.[82]《刘心武侃北京》

上海文艺出版社 2000 年 10 月第一版

100.[83]《我爱吃苦瓜》[ 茅盾文学奖获奖作家散文精品 ]

广州出版社 2000 年 10 月第一版

2002 年 10 月第二次印刷

101.[84]《了解高行健》

香港开益出版社 2000 年 12 月第一版

## 2001 年

102.[85]《亲近苍莽》

中国旅游出版社 2001 年 1 月第一版

103.[86]《在忧郁中升华》

文汇出版社 2001 年 2 月第一版

《刘心武谈建筑——在忧郁中升华》2007 年 8 月第二次印刷

104.[87]《人在风中》

作家出版社 2001 年 8 月第一版

105.《风过耳》

时代文艺出版社 2001 年 10 月第一版

有平装、精装两种

## 2002 年

106.[88]《京漂女》( 自绘插图 )

中国文联出版社 2002 年 1 月第一版

107.[89]《深夜月当花》

中国工人出版社 2002 年 1 月第一版

108.[90]《春梦随云散》

人民文学出版社 2002 年 4 月第一版

109.[91]《藤萝花饼》

台湾二鱼文化事业有限公司 2002 年 4 月第一版

110.[92]《刘心武自述》

大象出版社 2002 年 10 月第一版

## 2003 年

111.[93] L'arbre et la forêt [《树与林同在》法译本 ]

Bleu de Chine 2003 年 1 月第一版

112.[94]《人面鱼》

台湾联经出版事业股份有限公司 2003 年 2 月初版

113.[94] La Cendrillon Du Canal [《护城河边的灰姑娘》法译本 ]

Bleu de Chine 2003 年 4 月第一版

114.[95]《画梁春尽落香尘》[ "红学" 专著 ]

中国广播电视出版社 2003 年 6 月第一版

2003 年 9 月第二次印刷

2004 年 1 月第三次印刷

2005 年 6 月第四次印刷

115.[96]《眼角眉梢》

新华出版社 2003 年 8 月第一版

116.[97]《钟鼓楼》[ 初中生语文新课标必读 ]

人民日报出版社 2003 年 9 月第一版

117.[98]《天梯之声》

中国青年出版社 2003 年 10 月第一版

## 2004 年

118.[99] Poussiêre et sueur [《尘与汗》法译本 ]

Bleu de Chine 2004 年 1 月第一版

119.[100] La mort de Lao SHe [《老舍之死》歌剧剧本法译本 ]

Bleu de Chine 2004 年 3 月第一版

120.[101] Poisson à face humaine [《人面鱼》法译本 ]

Bleu de Chine 2004 年 3 月第一版

121.《如意》[ 电影伴读中国文学文库·附电影光盘 ]

中国青年出版社 2004 年 1 月第一版

122.[102]《泼妇鸡丁》

台湾二鱼文化事业有限公司 2004 年 4 月第一版

123.[103]《在柳树臂弯里——刘心武随笔》

光明日报出版社 2004 年 5 月第一版

124.[104]《材质之美——刘心武城市文化酷评》

中国建材工业出版社 2004 年 5 月第一版

125.[105]《站冰——刘心武小说新作集》( 自绘插图 )

人民文学出版社 2004 年 6 月第一版

126.《四牌楼》

上海文艺出版社 2004 年 8 月第二版

127.[106]《大家文丛: 刘心武》

古吴轩出版社 2004 年 8 月第一版

**2005 年**

128.《钟鼓楼》(中国文库·文学类)

人民文学出版社 2005 年 1 月第一版第一次印刷（平装）

2005 年 1 月第一版第一次印刷（精装）

129.《钟鼓楼》(茅盾文学奖获奖作品全集之一)

人民文学出版社 1985 年 11 月第一版、2005 年 1 月第一次印刷

2005 年 5 月第二次印刷

2005 年 7 月第三次印刷

2006 年 3 月第四次印刷

2008 年 4 月第七次印刷

2009 年 8 月第八次印刷

2010 年 1 月第九次印刷

2011 年 7 月第 15 次印刷

2011 年 9 月第 16 次印刷

2011 年 11 月第 17 次印刷

130.[107]《心灵体操》

时代文艺出版社 2005 年 1 月第一版

131.[108]《刘心武作文示范》

少年儿童出版社 2005 年 1 月第一版

132.[109] La Démone bleue(《蓝夜叉》法译本)

Bleu de Chine 2005 年第一版

133.[110]《红楼望月》

书海出版社 2005 年 4 月第一版

2005 年 6 月第二次印刷

2005 年 7 月第三次印刷

2005 年 8 月第四次印刷

141.[116]《刘心武点评〈红楼梦〉》

团结出版社 2006 年 1 月第一版

142,《刘心武精品集·第一卷·钟鼓楼》

东方出版社 2006 年 1 月第一版

143.《刘心武精品集·第二卷·四牌楼》

东方出版社 2006 年 1 月第一版

144.《刘心武精品集·第三卷·栖凤楼》

东方出版社 2006 年 1 月第一版

145.《刘心武精品集·第四卷·献给命运的紫罗兰》

东方出版社 2006 年 1 月第一版

146.[117]《戴敦邦绘刘心武评〈金瓶梅〉人物谱》

作家出版社 2006 年 4 月第一版

147.[118]《红楼拾珠》

云南人民出版社 2006 年 5 月第一版

148.[119]《藤萝花饼》

云南人民出版社 2006 年 5 月第一版

149.《刘心武揭秘〈红楼梦〉》[第一部]

台湾好读出版有限公司 2006 年 6 月初版

150.《刘心武揭秘〈红楼梦〉》[第二部]

台湾好读出版有限公司 2006 年 6 月初版

151.《我是刘心武》

天津人民出版社 2006 年 8 月第一版

152.[120]《刘心武揭秘古本〈红楼梦〉》

人民出版社 2006 年 12 月第一版

同月第二次印刷

## 2007 年

153.[121]《四棵树》

二十一世纪出版社 2007 年第一版

154.[122]《用心去游》

上海三联书店 2006 年 12 月第一版

2007 年 1 月第一次印刷

155.[123] Dés de poulet façon mégère [《泼妇鸡丁》法译本]

Bleu de Chine 2007 年 4 月第一版

156.《一切都还来得及》

中国青年出版社 2005 年 5 月第一版

157.[124]《刘心武揭秘〈红楼梦〉》[第三部·黛玉之谜及古本之秘]

东方出版社 2007 年 7 月第一版

至 2007 年 8 月已第四次印刷

2007 年 12 月第六次印刷

2008 年 3 月第七次印刷

158.[125]《刘心武说世道人心》

中国青年出版社 2007 年 7 月第一版

159.[126]《刘心武说寻美感悟》

中国青年出版社 2007 年 7 月第一版

160.[127]《刘心武说草根情怀》

中国青年出版社 2007 年 7 月第一版

161.[128]《长吻蜂》

上海人民出版社 2007 年 8 月第一版

162.《私人照相簿》

华龄出版社 2007 年 10 月第一版

163.《善的教育》

华龄出版社 2007 年 10 月第一版

164.[129]《刘心武揭秘〈红楼梦〉》[第四部·宝钗湘云之谜暨红楼心语]

东方出版社 2007 年 11 月第一版

2008 年 3 月第三次印刷

## 2008 年

165.[130]《健康携梦人》

中国海关出版社 2008 年 4 月第一版

166.[131]《刘心武小说》

吉林文史出版社 2008 年 5 月第一版

167.[132]《刘心武散文》

吉林文史出版社 2008 年 5 月第一版

## 2009 年

168.《钟鼓楼》(共和国作家文库)

作家出版社 2009 年 4 月第一版

169.《四牌楼》(共和国作家文库)

作家出版社 2009 年 4 月第一版

170.[133]《人在胡同第几槐》

中国文联出版社 2009 年 6 月第一版

171.《钟鼓楼》(新中国 60 年长篇小说典藏)

人民文学出版社 2009 年 7 月第一版

172.[134]《刘心武短篇小说》

现代教育出版社 2009 年 8 月第一版

173.[135]《刘心武中篇小说》

现代教育出版社 2009 年 8 月第一版

174.[136]《刘心武散文随笔》

现代教育出版社 2009 年 8 月第一版

175.《刘心武揭秘〈红楼梦〉》上卷（共和国作家文库）

作家出版社 2009 年 8 月第一版

176.《刘心武揭秘〈红楼梦〉》下卷（共和国作家文库）

作家出版社 2009 年 8 月第一版

## 2010 年

177.[137]《人情似纸》

江苏文艺出版社 2010 年 1 月第一版

178.[138]《红楼梦八十回后真故事》

江苏人民出版社 2010 年 3 月第一版

179.[139]《刘心武小说精选集》

[台湾] 新地文化艺术有限公司 2010 年 4 月第一版

180.《红楼望月》

江苏人民出版社 2010 年 6 月第一版

2010 年 9 月第二次印刷

181.[140]《命中相遇——刘心武话里有画》

上海文艺出版社 2010 年 7 月第一版

182.[141]《红楼眼神》

重庆出版社 2010 年 9 月第一版

## 2011 年

183.[142]《刘心武续红楼梦》

江苏人民出版社 2011 年 3 月第一版

江苏人民出版社 2011 年 4 月第 4 次印刷

184.[143]《红楼梦》（曹雪芹著刘心武续）

江苏人民出版社 2011 年 3 月第一版

185.《刘心武续红楼梦》[繁体字竖排本]

香港明报出版社有限公司 2011 年 3 月初版

186.《刘心武揭秘〈红楼梦〉》精华本（一）

江苏人民出版社 2011 年 4 月第一版

187.《刘心武揭秘〈红楼梦〉》精华本（二）

江苏人民出版社 2011 年 4 月第一版

188.《刘心武揭秘〈红楼梦〉》精华本（三）

江苏人民出版社 2011 年 4 月第一版

189.《刘心武揭秘〈红楼梦〉》精华本（四）

江苏人民出版社 2011 年 4 月第一版

190.《刘心武续红楼梦》[繁体字竖排本]

台湾城邦文化事业股份有限公司商周出版 2011 年 4 月第一版

191.《〈红楼梦〉的真故事》

台湾人类智库数位科技股份有限公司 2011 年 6 月第一版

192.[144]《听刘心武说房子的事儿》

中国商业出版社 2011 年 8 月第一版

193.[145]《刘心武心灵随感》

时代文艺出版社 2011 年 11 月第一版

**2012 年**

194.[146]《刘心武种四棵树》

漓江出版社 2012 年 1 月第一版

195.[147]《风雪夜归正逢时——我是刘心武》

漓江出版社 2012 年 1 月第一版

196.《献给命运的紫罗兰》

漓江出版社 2012 年 1 月第一版

197.[148]《人生有信》

江苏人民出版社 2012 年 3 月第一版

198.Poussiêre et sueur［《尘与汗》法译本 folio 袖珍版］

Gallimard 2012 年 8 月出版

199.La Cendrillon du canal［《护城河边的灰姑娘》法译本 folio 袖珍版］

Gallimard 2012 年 8 月出版